經濟部技術處112年度專案計畫

2023資訊硬體產業年鑑

中華民國112年8月31日

序

　　2022 年 COVID-19 疫情逐漸趨緩，各國經濟活動陸續復甦，然而二月開始的俄烏戰爭，快速為全球局勢帶來另一波新的不確定性。隨著物價、糧價、運價高漲，全球陸續進入通膨狀態，使不同產業都受到程度不一的衝擊。

　　回顧 2022 年臺灣資訊硬體產業發展，除了俄烏戰爭衝擊，「疫後紅利」的消退，也使資訊硬體產品出貨衰減，部分品牌廠及生產端出現庫存居高不下的狀況。我國資訊硬體廠商也積極調整全球供應鏈布局，動態調整生產規劃，乃至導入智慧科技，提高供應鏈的強度與韌性，如何因應全球動盪以及地緣政治的不確定性，成為臺灣資訊硬體產業要面對的重要議題。

　　為協助我國產業界了解 2022 年全球資訊產品產業發展動態，並掌握關鍵趨勢走向，在經濟部技術處產業技術基磐研究與知識服務計畫的支持下，由資策會產業情報研究所彙整編纂《2023 資訊硬體產業年鑑》，詳實記載臺灣資訊硬體產業在 2022 年的發展成果，並分析全球主要資訊市場的發展狀況、關鍵議題及新興應用產品的發展趨勢，提供產官學研各界完整而深入的資訊，以作為後續發展策略之參考依據。

　　感謝經濟部技術處與各研究機構的協助，致本年鑑順利付梓。期許《2023 資訊硬體產業年鑑》的出版，能幫助各界瞭解產業典範移轉過程的完整脈絡，對我國資訊硬體產業朝向數位轉型方向邁進有所助益。

財團法人資訊工業策進會　　執行長

中華民國112年7月

編者的話

　　《2023資訊硬體產業年鑑》收錄臺灣2022年資訊硬體產業狀況與發展趨勢分析，邀請資訊硬體領域多位專業產業分析人員共同撰寫，內容彙集臺灣資訊硬體產業近期的總體環境變化、全球與各區域主要資訊硬體市場以及產業的發展狀況，亦針對市場及產業的未來發展趨勢進行預測分析。期盼能提供給企業、政府，以及學術機構之決策和研究者，作為實用的參考書籍。

　　本年鑑以資訊硬體產業為研究主軸，主要探討四大類型產品包括桌上型電腦、筆記型電腦（含迷你筆記型電腦）、伺服器、主機板之發展狀況與趨勢；另亦針對產業面對全球政經環境變化如俄烏戰爭、美中科技戰，以及科技趨勢下的重點議題如RISC-V、生成式AI應用ChatGPT對資訊硬體產業影響進行探討。本年鑑內容總共分為六章，茲將各篇章之內容重點分述如下：

　　第一章：總體經濟暨產業關聯指標。該章內容包含經濟重要統計指標以及資訊硬體產業重要統計數據，透過數據背後意義的闡述，使讀者能夠正確地掌握2022年資訊硬體產業總體環境狀況。

　　第二章：資訊硬體產業總覽。該章概述全球與臺灣資訊硬體產業發展狀況，包括整體產業產值、市場發展動態主要產品產銷表現及市場占有率等，讓讀者得以快速掌握資訊硬體產業發展脈動。

　　第三章：全球資訊硬體市場個論。該章內容係探討四大類型產品，包括全球與主要地區之個別產品市場規模等，以協助讀者掌握全球資訊硬體市場的發展脈動。

　　第四章：臺灣資訊硬體產業個論。該章內容係探討四大類型產品之臺灣產業發展狀況與趨勢，包括主要產品產量與產值，產品規格型態變化等，以協助讀者掌握臺灣資訊硬體產業的發展脈動。

第五章：焦點議題探討。該章從俄烏戰爭、美中科技戰等政經局勢變化、以及 RISC-V、ChatGPT 等新興議題，提供讀者相關趨勢及分析之情報。

第六章：未來展望。該章內容係分析全球與臺灣資訊硬體產業整體發展趨勢，包括市場規模、市場占有率及未來產值趨勢預測等，希望輔助讀者未雨綢繆以預先進行策略規劃的調整。

附錄：內容收錄研究範疇與產品定義、資訊硬體產業重要大事紀，以及中英文專有名詞縮語／略語對照表，提供各界作為對照查詢與補充參考之用。

本年鑑感謝相關產業分析人員的全力配合，得以共同完成著作，使年鑑得以如期順利出版；惟內容涉及之產業範疇甚廣，若有疏漏或偏頗之處，懇請讀者不吝指教，俾使後續的年鑑內容更加適切與充實。

《2023 資訊硬體產業年鑑》編纂小組　謹誌

中華民國112年7月

執行摘要

　　本年鑑主要探討 2022 年全年之資訊硬體產業概況，包括全球、臺灣經濟重要指標、全球資訊硬體產業總覽、臺灣資訊硬體產業總覽，以及包括桌上型電腦、筆記型電腦、伺服器、主機板之全球市場分析以及臺灣產業現況分析。

　　此外，本文亦針對 2022 年影響資訊硬體產業之全球重大議題與技術變革，包括俄烏戰爭、美中科技戰、RISC-V 以及生成式 AI ChatGPT 的熱潮進行研討，並研析其對資訊硬體產業之影響。上述重點議題於 2022 年發軔，及至 2023 年仍持續發酵，並對產業供應鏈、全球資訊硬體市場及臺灣資訊硬體產業產生巨大影響。

　　最後，本年鑑亦提出全球資訊硬體市場以及臺灣資訊硬體產業之未來展望，希冀以編年史之方式，記錄我國資訊硬體產業發展歷程，探索產業發展趨勢、提供企業組織策略發展所需之資訊，並豐富學術機構進行市場或產業研究之依據，及國家政策研擬之參考。

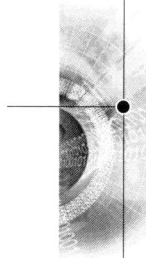

目 錄

第一章　總體經濟暨產業關聯指標 1
　　一、全球經濟重要指標 1
　　二、臺灣經濟重要指標 3

第二章　資訊硬體產業總覽 9
　　一、產業範疇與定義 9
　　二、全球產業總覽 9
　　三、臺灣產業總覽 10

第三章　全球資訊硬體市場個論 17
　　一、全球桌上型電腦市場分析 17
　　二、全球筆記型電腦市場分析 22
　　三、全球伺服器市場分析 29
　　四、全球主機板市場分析 35

第四章　臺灣資訊硬體產業個論 39
　　一、臺灣桌上型電腦產業現況與發展趨勢分析 39
　　二、臺灣筆記型電腦產業狀況與發展趨勢分析 44
　　三、臺灣伺服器產業狀況與發展趨勢分析 50
　　四、臺灣主機板產業現況與發展趨勢分析 57

第五章　焦點議題探討 63
　　一、俄烏戰爭對我國資通訊產業影響分析 63
　　二、美中科技戰對資訊硬體產業影響分析 68

三、從美中大廠動態看RISC-V應用發展前景 74

　　四、生成式AI發展背景與對資訊硬體產業影響分析 80

第六章　未來展望 89

　　一、全球資訊硬體市場展望 89

　　二、臺灣資訊硬體產業展望 92

附錄 99

　　一、範疇定義 99

　　二、資訊硬體產業重要大事紀 101

　　三、中英文專有名詞縮語／略語對照表 102

　　四、參考資料 104

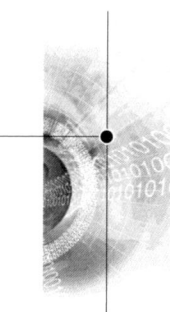

Table of Contents

Chapter 1　　Macroeconomic and Industrial Indicators 1

　　1. Global Economic Indicators 1

　　2. Taiwan Economic Indicators 3

Chapter 2　　ICT Industry Overview 9

　　1. Scope and Definitions 9

　　2. Global ICT Industry 9

　　3. Taiwan ICT Industry 10

Chapter 3　　Global ICT Hardware Market Overview 17

　　1. Desktop PC Market Analysis 17

　　2. Notebook PC Market Analysis 22

　　3. Server Market Analysis 29

　　4. Motherboard Market Analysis 35

Chapter 4　　Taiwan ICT Hardware Industry Overview 39

　　1. Desktop PC Industry Status and Development Trends 39

　　2. Notebook PC Industry Status and Development Trends 44

　　3. Server Industry Status and Development Trends 50

　　4. Motherboard Industry Status and Development Trends 57

Chapter 5　　Key Issues and Highlights 63

　　1. Impact of the Russia-Ukraine War on the Taiwan ICT Industry 63

　　2. Impact of the US-China Tech War on the ICT Industry 68

　　3. The Future of RISC-V Applications from the Perspectives of Leading US and Chinese Tech Companies 74

  4. Impact of AIGC on the ICT Hardware Industry 80

Chapter 6 Outlook for the ICT Industry 89

  1. Global ICT Hardware Market 89

  2. Taiwan ICT Hardware Market 92

Appendix 99

  1. Scope and Definitions 99

  2. ICT Hardware Industry Milestones 101

  3. List of Abbreviations 102

  4. References 104

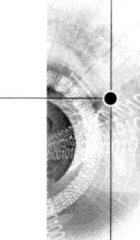

圖目錄

圖 2-1	2015-2022年全球資訊硬體產業產值	10
圖 2-2	2015-2022年臺灣資訊硬體產業產值	11
圖 2-3	臺灣主要資訊硬體產品全球市場占有率	14
圖 2-4	臺灣資訊硬體產業出貨區域產值分析	15
圖 2-5	臺灣資訊硬體產業生產地產值分析	16
圖 3-1	2018-2022年全球桌上型電腦市場規模	18
圖 3-2	2018-2022年北美桌上型電腦市場規模	18
圖 3-3	2018-2022年西歐桌上型電腦市場規模	19
圖 3-4	2018-2022年日本桌上型電腦市場規模	20
圖 3-5	2018-2022年亞洲桌上型電腦市場規模	21
圖 3-6	2018-2022年其他地區桌上型電腦市場規模	22
圖 3-7	2018-2022年全球筆記型電腦市場規模	23
圖 3-8	2018-2022年北美筆記型電腦市場規模	24
圖 3-9	2018-2022年西歐筆記型電腦市場規模	25
圖 3-10	2018-2022年日本筆記型電腦市場規模	26
圖 3-11	2018-2022年亞洲筆記型電腦市場規模	28
圖 3-12	2018-2022年其他地區筆記型電腦市場規模	29
圖 3-13	2018-2022年全球伺服器市場規模	30
圖 3-14	2018-2022年北美伺服器市場規模	31
圖 3-15	2018-2022年西歐伺服器市場規模	32

圖 3-16	2018-2022年日本伺服器市場規模	33
圖 3-17	2018-2022年亞洲伺服器市場規模	34
圖 3-18	2018-2022年其他地區伺服器市場規模	34
圖 3-19	2018-2022年全球主機板市場規模	35
圖 3-20	2018-2022年北美主機板市場規模	36
圖 3-21	2018-2022年西歐主機板市場規模	36
圖 3-22	2018-2022年日本主機板市場規模	37
圖 3-23	2018-2022年亞洲主機板市場規模	38
圖 3-24	2018-2022年其他地區主機板市場規模	38
圖 4-1	2018-2022年臺灣桌上型電腦產業總產量	40
圖 4-2	2018-2022年臺灣桌上型電腦產業總產值	40
圖 4-3	2018-2022年臺灣桌上型電腦產業業務型態別產量比重	41
圖 4-4	2018-2022年臺灣桌上型電腦產業銷售地區別產量比重	42
圖 4-5	2018-2022年臺灣桌上型電腦產業中央處理器採用架構分析	43
圖 4-6	2018-2022年臺灣筆記型電腦產業總產量	45
圖 4-7	2018-2022年臺灣筆記型電腦產業總產值	46
圖 4-8	2018-2022年臺灣筆記型電腦產業業務型態別產量比重	46
圖 4-9	2018-2022年臺灣筆記型電腦產業銷售地區別產量比重	47
圖 4-10	2018-2022年臺灣筆記型電腦產業尺寸別產量比重	48
圖 4-11	2018-2022年臺灣筆記型電腦產業產品平台型態	50
圖 4-12	2018-2022年臺灣伺服器主機板產業總產量	51
圖 4-13	2018-2022年臺灣伺服器系統產業總產量	51
圖 4-14	2018-2022年臺灣伺服器系統產值與平均出貨價格	52
圖 4-15	2018-2022年臺灣伺服器主機板產值與平均出貨價格	53
圖 4-16	2018-2022年臺灣伺服器系統產業業務型態別比重	54

圖 4-17	2018-2022年臺灣伺服器系統產業銷售區域比重	55
圖 4-18	2018-2022年臺灣伺服器系統產業外觀形式出貨分析	56
圖 4-19	2018-2022年臺灣主機板產業總產量	58
圖 4-20	2018-2022年臺灣主機板產業產值與平均出貨價格	58
圖 4-21	2018-2022年臺灣主機板產業業務型態	59
圖 4-22	2018-2022年臺灣主機板產業出貨地區別產量比重	60
圖 4-23	2018-2022年臺灣主機板產業分析（處理器採用架構）	61
圖 5-1	2021年臺灣出口俄羅斯各項產品占比統計	64
圖 5-2	2021年臺灣進口俄羅斯各項產品占比統計	66
圖 5-3	ChatGPT功能由文本補全和程式碼生成為兩大基礎	82
圖 5-4	ChatGPT技術原理	83
圖 6-1	2022-2027年臺灣資訊硬體產業總產值之展望	93
圖 6-2	2021-2027年臺灣主要資訊硬體產品全球占有率長期展望	93

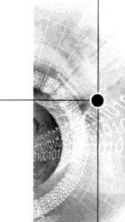

表目錄

表 1-1　2018-2023 年全球與主要地區經濟成長率 2
表 1-2　2018-2023 年主要國家與地區經濟成長率 2
表 1-3　2018-2023 年主要國家 CPI 變動率 3
表 1-4　臺灣經濟成長與物價變動 4
表 1-5　臺灣消費年增率 4
表 1-6　臺灣對主要貿易地區進口總額年增率 5
表 1-7　臺灣對主要貿易地區出口總額年增率 6
表 1-8　2022 年臺灣外銷訂單主要接單地區 6
表 1-9　2022 年臺灣外銷訂單主要接單貨品類別 7
表 2-1　2022 年臺灣主要資訊硬體產品產銷表現 13
表 5-1　2019-2021 年臺灣資通訊產品出口俄羅斯占比 65
表 5-2　2022 年 2 月從俄羅斯進口前三大品項之金額與他國進口量比較 66
表 5-3　NVIDIA 與 AMD 高階 AI 加速器基本資料 70

第一章 總體經濟暨產業關聯指標

一、全球經濟重要指標

COVID-19 疫情自 2022 年開始趨緩，各類經濟活動開始復甦。然而，隨著 2022 年 2 月俄烏戰爭開始，由歐洲開始衝擊經濟、社會活動，並蔓延至全球，能源及糧食供應短缺，運價、物價上漲，導致全球進入通膨狀態，世界經濟前景依舊如疫情時期，甚至更加充滿「高度的不確定性」，後疫情時代的經濟活動，與地緣衝突發展密切相關。

2022 年全世界的經濟表現受俄烏戰爭強烈影響，國際貨幣基金組織 IMF 指出，超過三分之一的全球經濟體將在 2022 年或 2023 年出現萎縮，而美國、歐盟和中國大陸這三個世界大型經濟體，則將於 2023 年繼續處於停滯增長狀態，導致 2022 年疫情後原有可能復甦的經濟前景，再次受到壓抑，各國政府亦紛紛祭出措施，避免停滯性通膨狀況發生及惡化。

據 IMF 於 2023 年 4 月發布的《世界經濟展望》指出，全球經濟增速預計將從 2022 年的 3.4%下滑至 2023 年的 2.8%，直到 2024 年才會有所回升。這一下滑趨勢，尤其在先進開發國家中表現明顯，預估發達經濟體經濟成長率，將從 2022 年的 2.7%降至 2023 年的 1.3%。IMF 報告指出，雖然歐美各國央行提高利率、壓抑食品和能源價格，仍存在潛在價格壓力，此外，許多經濟體出現勞動力短缺、人口老化等狀況。就個別國家而言，預計美國在 2023 年的經濟成長率為 1.6%、歐元區為 0.8%、中國大陸預計 2023 年的經濟增長率將達到 5.2%，日本地區為 1.3%，臺灣則為 2.1%。

表 1-1　2018-2023 年全球與主要地區經濟成長率

單位：%

地區	2018	2019	2020	2021	2022	2023(e)
全球（EIU）	3.6	2.7	-2.9	6.0	3.0	2.0
全球（IMF）	3.6	2.8	-2.8	6.3	3.4	2.8
先進開發國家	2.3	1.7	-4.2	5.4	2.7	1.3
歐元區	1.8	1.6	-6.1	5.4	3.5	0.8
新興與發展中國家	4.7	3.6	-1.8	6.9	4.0	3.9
獨立國協	5	4.3	-4.4	4.0	5.5	4.5
亞洲開發中國家	6.4	5.2	-0.5	7.5	4.4	5.3
歐洲開發中國家	3.6	2.5	-1.6	7.3	0.8	1.2
拉丁美洲和加勒比海	1.2	0.2	-6.8	7.0	4.0	1.6
中東及北非	2.1	1.0	-3.1	4.3	5.3	3.1
撒哈拉以南非洲	3.2	3.3	-1.7	4.8	3.9	3.6
歐盟	2.3	2.0	-5.6	5.6	3.7	0.7

備註：各主要地區之經濟成長率係採 IMF 之資料，EIU 數據採用 PPP 數據
資料來源：IMF、EIU，資策會 MIC 經濟部 ITIS 研究團隊整理，2023 年 6 月

表 1-2　2018-2023 年主要國家與地區經濟成長率

單位：%

國家	2018	2019	2020	2021	2022	2023(e)
臺灣	2.8	3.1	3.4	6.5	2.5	2.1
美國	2.9	2.3	-2.8	5.9	2.1	1.6
日本	0.6	-0.4	-4.3	2.1	1.1	1.3
德國	1.0	1.1	-3.7	2.6	1.8	-0.1
法國	1.8	1.9	-7.9	6.8	2.6	0.7
英國	1.7	1.6	-11	7.6	4.0	-0.3
韓國	2.9	2.2	-0.7	4.1	2.6	1.5
新加坡	3.6	1.3	-3.9	8.9	3.6	1.6
香港	2.8	-1.7	-6.5	6.4	-3.5	3.5
中國大陸	6.8	6.0	2.2	8.4	3.0	5.2

備註：除臺灣數據為官方公布外，其餘各國數據係採 IMF 之資料
資料來源：IMF，資策會 MIC 經濟部 ITIS 研究團隊整理，2023 年 6 月

若觀察消費者物價指數（CPI）變化，可發現 2022 年全球 CPI 增速極快，帶動 CPI 主要成長力道的原因是全球糧價、物價、運價的直接提升，通膨導致各國國民消費力減退，如英國、德國、美國 CPI 的增速皆高，利率亦持續調升。而臺灣則因央行採取價量並行、漸進緊縮之貨幣政策，使 CPI 增速控制在一定範圍。

表 1-3　2018-2023 年主要國家 CPI 變動率

單位：%

國別／年	2018	2019	2020	2021	2022	2023(e)
臺灣	2.4	1.8	1.2	4.7	2.9	2.2
美國	1.0	0.5	0.0	-0.2	8.0	4.5
日本	1.9	1.5	0.5	3.1	2.5	2.7
德國	2.1	1.1	0.5	1.6	8.7	6.2
法國	2.5	1.7	1.0	2.5	5.9	5.0
英國	1.5	0.4	0.5	2.5	9.1	6.8
韓國	0.4	0.6	-0.2	2.3	5.1	3.5
新加坡	2.4	2.9	0.3	1.6	6.1	5.8
香港	2.1	2.9	2.4	1.0	1.9	2.3
中國大陸	2.4	1.8	1.2	4.7	1.9	2.0

資料來源：行政院主計總處，資策會 MIC 經濟部 ITIS 研究團隊整理，2023 年 6 月

二、臺灣經濟重要指標

臺灣本土疫情於 2022 年中開始趨緩，然而受全球通膨、物價上升、經濟趨緩等要素，對國內經濟動能表現造成影響，而政府亦陸續推出內需擴大政策，以增加整體公共建設預算、全民現金普發等方式，刺激內需動能。根據國際貨幣基金（IMF）的預估，臺灣 2023 年的經濟成長率預計為 2.1%。同時，通貨膨脹率預估為 1.9%，低於全球平均水平的 7.0%。

從主計總處於 5 月 26 日公開之經濟預測數據，由於 2023 年科技業景氣不振，出口下滑，導致臺灣今年第一季經濟成長率為 -2.87%，而全年經濟成長率預測為 2.04%，為八年來新低。主要是因國內以出口為主要經濟發展動能，在外需相對疲軟，導致出口不景氣狀況下，即使內需和民間消費復甦，仍難以直接拉抬經濟成長動能。

各機構普遍看淡今年臺灣經濟表現，而持續性通膨、半導體、科技業下行週期、勞動力短缺等現況，都將對國內 2023 年的經濟發展造成巨大挑戰。

表 1-4　臺灣經濟成長與物價變動

年別	經濟成長率（GDP）（%）	國民生產毛額（GDP）（新臺幣百萬元）	平均每人 GDP（per capita GDP）（新臺幣元）	消費者物價上升率（%）	躉售物價上升率（%）
2018 年	2.79	18,375,022	779,260	1.36	0.78
2019 年	3.06	18,908,632	801,348	0.55	-3.48
2020 年	3.39	19,914,806	844,485	-0.23	-4.79
2021 年	6.53	21,738,982	926,314	1.97	9.57
2022 年	2.45	22,706,489	976,914	2.95	12.12
2023 年（e）	2.12	23,327,639	1,018,416	2.16	躉售業物價指數於 2022 退場

備註：(e) 為初步統計數，(f) 為預測數
資料來源：行政院主計總處，經濟部統計處，資策會 MIC 經濟部 ITIS 研究團隊整理，2023 年 6 月

表 1-5　臺灣消費年增率

單位：%

年別	民間消費實質成長率
2018 年	2.05
2019 年	2.25
2020 年	-2.55
2021 年	-0.35
2022 年	3.36

資料來源：行政院主計總處，資策會 MIC 經濟部 ITIS 研究團隊整理，2023 年 6 月

根據 2022 年的數據，我國對外貿易總額達到 907,100 百萬美元，相較於 2021 年增長了 9.5%。在這一總額中，出口額為 479,500 百萬美元，增長了 7.4%；而進口額為 427,600 百萬美元，增長了 12.1%，總計出超 51,900 百萬美元，出進口金額皆創歷年新高。出口部分，在市場驅動以及

政府政策下，以美國、日本及東協之出口總額年增率較為明顯，年增率皆超過14%，中國大陸地區則呈現-3.8%的衰退，與地緣政治因素以及中國大陸市場復甦較緩慢相關。

進一步剖析2022年臺灣主要接單地區與產品，2022年我國外銷訂單主要接單貨品，中國大陸衰退幅度為年減16.96%，東協則表現亮眼，有15.67%的年增率。接單貨品主要為電子產品與資訊通信產品，雖受全球景氣不振影響，我國半導體及資通訊廠商，仍以領先之技術優勢，獲得全球性接單。

表1-6 臺灣對主要貿易地區進口總額年增率

單位：%

地區 \ 年別	2018年	2019年	2020年	2021年	2022年
NAFTA	16.8	4.8	-6.6	22.8	15.1
美國	16.6	5.3	-6.8	20.4	15.7
加拿大	21.1	-7.3	-15.6	53.2	5.6
亞洲地區	9.5	0.4	7.4	31.2	5.9
日本	5.3	-0.2	4.2	22.2	-2.7
香港	-6.8	-24.6	14.1	39.9	-12.3
中國大陸	7.5	6.7	10.8	29.7	1.8
南韓	15.6	-9.1	16.1	48.7	11.9
東協	11.4	1.2	2.6	31.5	14.2
歐洲地區	10.4	5.6	0.6	28.5	7.8
歐盟28國	7.7	11.1	-0.7	27.3	9.3
全球合計	10.7	0.3	0.1	33.3	12.1

資料來源：財政部統計處，資策會MIC經濟部ITIS研究團隊整理，2023年6月

表 1-7　臺灣對主要貿易地區出口總額年增率

單位：%

年別 地區	2018 年	2019 年	2020 年	2021 年	2022 年
NAFTA	7.9	15.6	7.7	30.7	14.1
美國	7.4	17.1	9.3	29.9	14.3
加拿大	15.2	-6.2	-8.8	38.6	9.7
亞洲地區	5.3	-3.7	6.8	27.5	4.8
日本	10.8	2.1	0.5	24.8	15.1
香港	0.6	-2.6	21.5	28.7	2.87
中國大陸	8.7	-4.9	11.6	22.9	-3.8
南韓	9.2	7.5	-10.5	33.0	10.1
東協	-0.7	-7.2	-1.3	32.0	14.8
歐洲地區	8.7	-4.8	-5.4	36.7	6.8
歐盟 28 國	8.8	-5.2	-5.0	38.9	9.8
全球合計	5.9	-1.5	4.9	29.3	7.41

資料來源：財政部統計處，資策會 MIC 經濟部 ITIS 研究團隊整理，2023 年 6 月

表 1-8　2022 年臺灣外銷訂單主要接單地區

主要地區	金額（百萬美元）	較上年增減（%）
中國大陸及香港	145,400	-16.96
美國	209,200	4.51
歐洲	134,600	-0.06
東協	73,900	15.67
日本	35,000	2.04
總計	666,800	-1.09

備註：自 106 年 4 月起原東協六國改東協，包括新加坡、馬來西亞、菲律賓、泰國、印尼、越南、汶萊、寮國、緬甸及柬埔寨等十國。

資料來源：經濟部統計處，資策會 MIC 經濟部 ITIS 研究團隊整理，2023 年 6 月

表 1-9 2022 年臺灣外銷訂單主要接單貨品類別

主要類別	金額（百萬美元）	較上年增減（%）
電子產品	223,600	7.8
資訊通信	190,000	-1.6
其餘貨品	85,800	-4.96
基本金屬	31,700	-14.45
塑橡膠製品	25,300	-18.36
機械	24,000	-10.34
化學品	23,400	-2.62
光學器材	22,300	-28.96
電機產品	21,700	-3.83
礦產品	19,000	80.49

備註：精密儀器名稱變更為光學器材，鐘錶、樂器移至其餘貨品

資料來源：經濟部統計處，資策會 MIC 經濟部 ITIS 研究團隊整理，2023 年 6 月

第二章 ｜資訊硬體產業總覽

一、產業範疇與定義

本文中所提及之資訊硬體產業範疇，以資訊硬體終端產品及關鍵零組件為主，涵蓋四大產品包括：桌上型電腦、筆記型電腦（含迷你筆記型電腦）、伺服器、主機板等。

二、全球產業總覽

根據資策會 MIC 研究調查，2022 年全球主要資訊硬體產業產值為 157,689 百萬美元，相較 2021 年 213,214 百萬美元，衰退 26.0%。2022 年由於俄烏戰爭帶來通膨、物價飛漲，影響全球終端市場消費力，而使消費型終端的桌機、筆電等資訊硬體出貨有所衰退。此外，全球疫情狀況陸續告一段落，也使民眾在家工作、遠距學習之需求降低，「疫情紅利」的消退，進一步影響終端消費動能。

就個別產業而言，筆記型電腦市場衰退主因來自於全球經濟情勢的不確定性持續增溫，包含俄烏戰爭、歐美地區連續性升息及全球通膨導致買氣減弱等，出貨呈現衰減。桌機部分除終端消費之不景氣，亦導因於 2022 年歐美企業陸續傳出裁員消息、企業撙節支出，使商務電腦設備需求減少，影響桌機採購。主機板部分，同樣受消費急凍、疫情紅利消退，另加上挖礦風潮停滯，使全球市場需求不若過往。伺服器產業則有別於消費型資訊硬體，仍受惠於全球數據量的增加、智慧及高階應用的擴增，雲端服務商持續在全球興建資料中心，而在出貨上仍有所增長。

就供應鏈而言，在美中科技戰的大背景下，美國半導體及高階晶片輸陸受阻，使全球訊硬體產業，逐漸形成供應鏈二極化的態勢，而大廠考慮到地緣政治的不穩定性，亦紛紛啟動或加速 China+1（C+1）策略，將投資或生產轉移至如越南、泰國、印度等發展中經濟體，使 2022 年及未來之全球供應鏈，進入新的轉移階段。

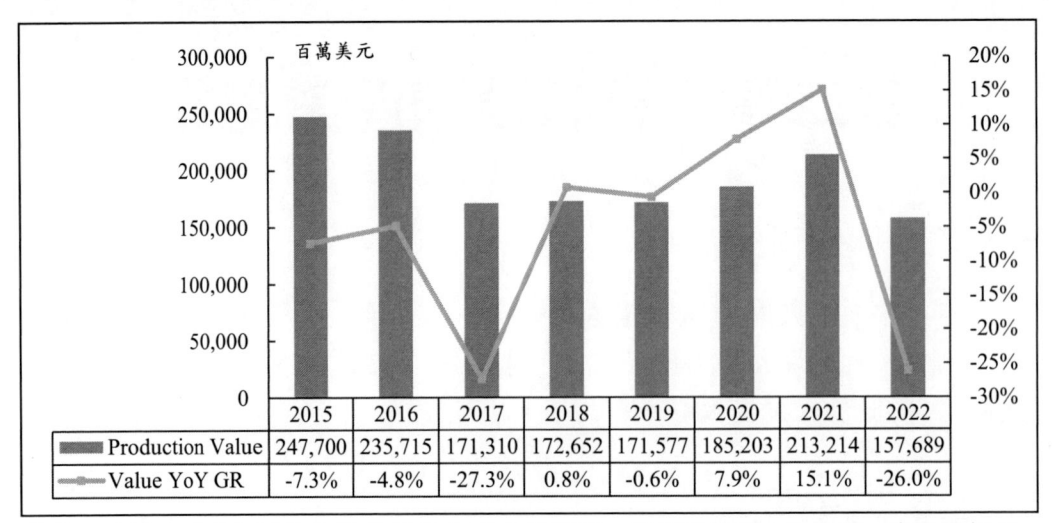

	2015	2016	2017	2018	2019	2020	2021	2022
Production Value	247,700	235,715	171,310	172,652	171,577	185,203	213,214	157,689
Value YoY GR	-7.3%	-4.8%	-27.3%	0.8%	-0.6%	7.9%	15.1%	-26.0%

備註：2016年（含）以前統計產品包含桌上型電腦、筆記型電腦、伺服器、液晶監視器、液晶電視、平板電腦、智慧型行動電話、主機板以及面板等。2017年後以桌上型電腦、筆記型電腦、伺服器以及主機板為主。

資料來源：資策會MIC 經濟部ITIS研究團隊，2023年6月

圖2-1　2015-2022年全球資訊硬體產業產值

三、臺灣產業總覽

根據資策會MIC研究調查，2022年臺灣主要資訊硬體產業產值約為133,621百萬美元，相較前一年表現，衰退幅度為15.6%。

進一步分析資訊硬體產業產值衰退的原因，主要為2022年疫情趨緩，各國紛紛結束遠距學習與工作，疫情購機紅利消退，導致消費性桌機、筆電出貨不振，此外，俄烏戰爭帶來的全球物價飛漲、通膨，亦進一步削弱終端買氣。而伺服器方面，則受惠於美系雲端服務商與品牌商的需求持續，出貨量則較2021年有所提升。

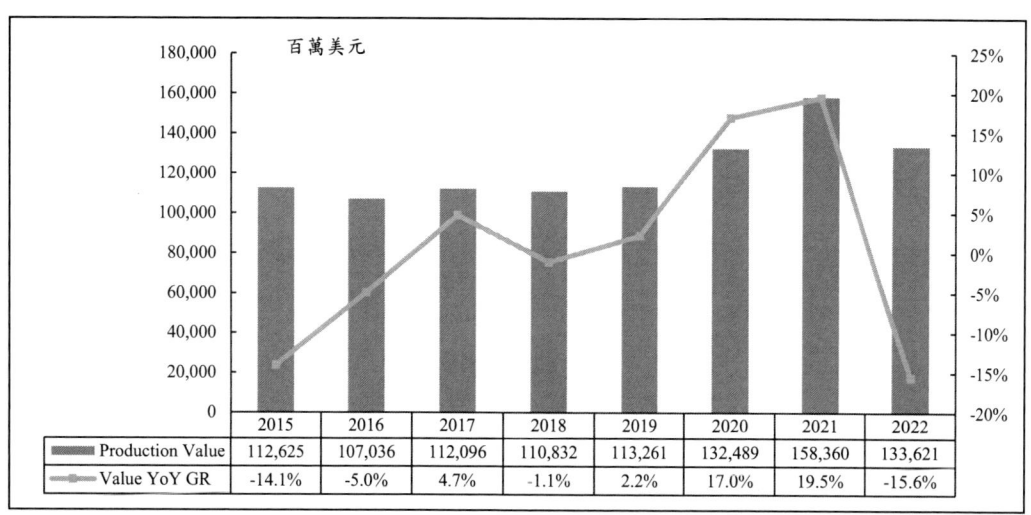

	2015	2016	2017	2018	2019	2020	2021	2022
Production Value	112,625	107,036	112,096	110,832	113,261	132,489	158,360	133,621
Value YoY GR	-14.1%	-5.0%	4.7%	-1.1%	2.2%	17.0%	19.5%	-15.6%

資料來源：資策會 MIC 經濟部 ITIS 研究團隊，2023 年 6 月

圖 2-2　2015-2022 年臺灣資訊硬體產業產值

回顧 2022 年臺灣主要資訊硬體產業產值表現，關於臺灣桌上型電腦產業，2022 年總出貨量達 41,609 千台，產值為 11,435 百萬美元，相較 2021 年的產值表現衰退約 6.1%。2022 年受到全球通膨高漲導致的消費不振影響整體出貨表現，各國陸續採取緊縮貨幣政策，下半年從消費端到商務端市場需求急凍。隨著歐美企業陸續傳出裁員消息，企業撙節支出，商務電腦設備需求預期將會減少，同時亦將設備延長使用期限以減少資本支出。處理器廠商與品牌廠商則面臨庫存水位過高的難題，砍價清庫存成為主要任務，ODM 產線利用率出現閒置狀況，儘管第四季處理器廠商陸續發布新一代桌機處理器，仍難以刺激總體經濟環境不佳下的市場消費動能。

臺灣筆記型電腦產業，2022 年總出貨量達 151,197 千台，產值為 71,460 百萬美元，相較 2021 年的產值表現衰退約 23.4%。衰退主因來自於全球經濟情勢的不確定性持續增溫，包含俄烏戰爭的持續延燒、疫情的反覆升溫、歐美地區連續性的升息策略及全球通貨膨脹導致買氣減弱等因素，讓原先認為是消費旺季的 2022 下半年度出現消費性及商用需求雙雙下修的情形。

同時，在供給端方面，上半年因零組件短缺及變種疫情影響致使供應鏈中斷的風險升溫，迫使 ODM 廠商及品牌商增加備料數量，然下半年市場需求的快速下滑，卻也讓 ODM 廠商須背負不小的庫存壓力，品牌廠也因而縮手訂單，以降低庫存為首要策略選擇，供給及需求面的乏力，讓 2022 年的筆電出貨量甚至出現上下半年「頭重腳輕」的情形。

　　臺灣伺服器產業，鑒於美系雲端服務商仍維持在全球建造資料中心的步調，定期釋出資料中心新的設置地點與服務推出區域，因此成為伺服器的重要採購者。中國大陸在 2022 上半年因為實施 COVID-19 動態清零政策，執行疫情封控措施，導致伺服器產能遞延至 2022 下半年。此外，百度、阿里巴巴、騰訊等中系雲端服務商，受到當地經濟及政策因素的影響，2022 年在雲端服務及資料中心之發展態勢趨緩，惟字節跳動仍維持成長的動能。

　　整體而言，受惠於美系雲端服務商與品牌商的需求，2022 年全年包含半成品型態（Full System & Barebone）及主板型態（Motherboard），出貨量相較 2021 年提升 11.2%，達到 5,333 千台。值得關注的是，我國伺服器代工業者在供給端面臨不定期封控、政策調整的風險，需求端則須符合美系客戶對資安的要求，加速將產線移出中國大陸，遷回臺灣或移至東南亞、中南美洲等地，藉此增強供應鏈韌性。

　　臺灣主機板產業，2022 年總出貨量達 68,070 千台，產值約為 3,741 百萬美元，相較 2021 年的產值表現衰退約 14.5%。2022 年受到全球俄烏戰爭影響歐洲市場需求，加上美國總體經濟帶動通膨高漲導致的消費不振，影響主機板產業重要的兩個出貨區域，以致讓整體出貨呈現向下滑落。隨著疫情紅利消退、挖礦風潮停滯，使得主機板品牌廠商在高階、電競等產品機種的銷售，連帶受到影響，不僅產品出貨下滑，連產業產值都呈現衰退。至於系統層級的出貨狀況，則是受到品牌廠商持續出清庫存壓力影響，雖然也會搭配處理器廠商的新品上市，但出貨狀況占整體銷售比重不高，對產品平均價格的提升也相對不若過往。

第二章　資訊硬體產業總覽

表 2-1　2022 年臺灣主要資訊硬體產品產銷表現

產品類別	2022產值（百萬美元）	2022/2021產值成長率	2022產量（千台）	2022/2021產量成長率
桌上型電腦	11,435	-6.1%	41,609	-6.3%
筆記型電腦	71,460	-23.4%	151,197	-24.6%
伺服器	15,883	9.4%	5,333	11.2%
主機板	3,741	-14.5%	68,070	-12.9%

註1：筆記型電腦產銷數據包含主流筆記型電腦與迷你筆記型電腦等產品型態
註2：主機板產銷數據包含純主機板、準系統及全系統等出貨型態
註3：伺服器產銷數據包含準系統及全系統等出貨型態，未包含純主機板出貨型態
資料來源：資策會MIC 經濟部ITIS 研究團隊，2023年6月

觀察 2022 年臺灣主要資訊硬體產品全球市占率，桌上型電腦從 54.1%提升為 54.2%、筆記型電腦從 80.5%下降至 78.2%、伺服器從 36.9%提升為 39.2%、主機板從 80.6%下降至 80.4%。

比較各產品全球占比消長變化，2022 年全球各地區桌機市場受到通貨膨脹及物價高漲因素影響，各地區市場出貨量全面下滑，其中又以受到俄烏戰爭影響衝擊的西歐市場，及持續對 COVID-19 採取「清零」策略的中國大陸影響最為深遠。影響臺灣桌機出貨市占率變化，主要受到中國大陸本土品牌廠提高自產比例、減少委臺代工數量，其次是中國大陸及印度政府鼓勵本土製造，桌機產品需委由在地廠商組裝代工始有利取得政府及教育標案。而在 2022 年，全球最大桌機銷售市場的中國大陸，清零政策嚴重打擊國內桌機需求狀況，本土品牌首當其衝，也因此影響中國大陸的桌機出貨數量，讓臺灣桌機出貨市占率可以止跌維持平緩，預期待中國大陸市場需求恢復，臺灣桌機出貨市占率將逐年下降。

筆記型電腦產業比重的調降主要是受到兩大因素影響。首先，中國大陸國產自製政策的擴大，讓陸系品牌廠（如聯想、小米等）將部分訂單移轉回中國大陸的代工廠，加上華勤等陸系 ODM 廠商持續以低價策略爭取臺灣及中國大陸品牌廠訂單，也影響了臺灣筆電產業代工比重。其次，教育標案需求的大幅減低，使得 Chromebook 市場需求量明顯縮減，讓主力代工 Chromebook 的臺灣筆電業者明顯感受到出貨量下滑。

伺服器產業市占率上升的主因,仍在於伺服器直接代工(ODM Direct)以及白牌伺服器比重上升。直接代工是由 Amazon、Microsoft、Google、Meta 等雲端服務商和我國伺服器代工廠進行合作,透過專案的方式從測試、認證階段到打板、組裝均由我國伺服器代工廠進行協助。另一方面,我國伺服器代工廠亦透過白牌伺服器或自有品牌的方式進行出貨,提供客戶伺服器產品,包含緯穎、雲達、泰安(Tyan)等均有提供自有品牌伺服器,在歐美、東南亞及臺灣本土均有客戶。

主機板產業比重微幅下滑,2022 年受到全球俄烏戰爭影響歐洲市場需求,加上美國總體經濟帶動通膨高漲導致的消費不振,影響主機板產業重要的兩個出貨區域,以致讓整體出貨呈現向下滑落。隨著疫情紅利消退、挖礦風潮停滯,使得主機板品牌廠商在高階、電競等產品機種的銷售,連帶受到影響。

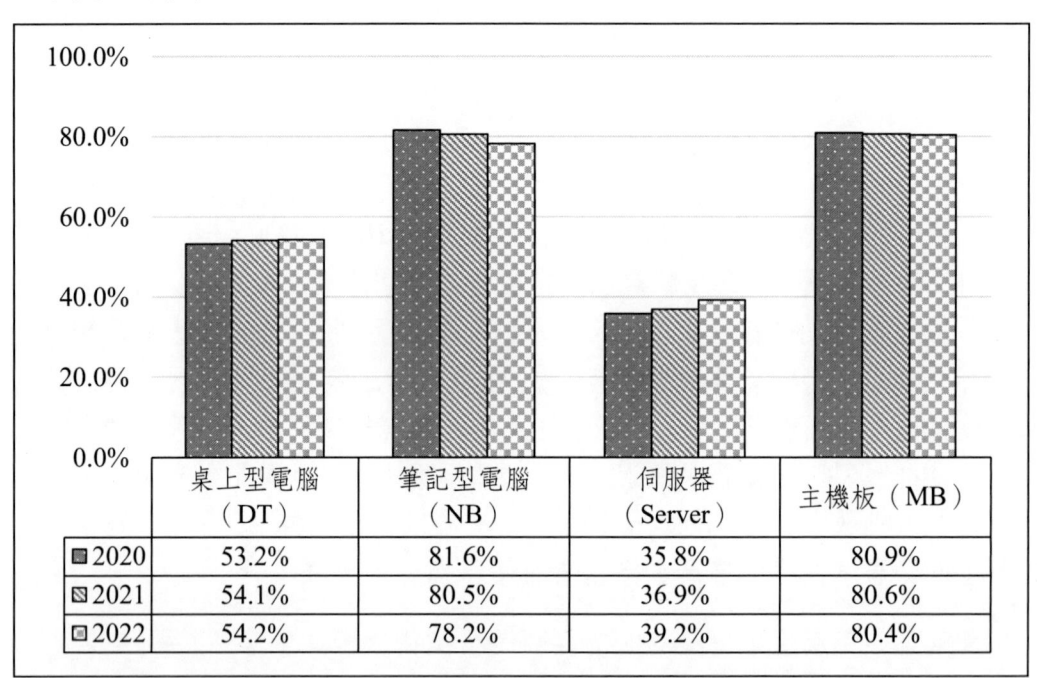

	桌上型電腦(DT)	筆記型電腦(NB)	伺服器(Server)	主機板(MB)
2020	53.2%	81.6%	35.8%	80.9%
2021	54.1%	80.5%	36.9%	80.6%
2022	54.2%	78.2%	39.2%	80.4%

註 1:筆記型電腦產銷數據包含主流筆記型電腦與迷你筆記型電腦等產品型態
註 2:主機板產銷數據包含純主機板、準系統及全系統等出貨型態
註 3:伺服器產銷數據包含準系統及全系統等出貨型態,未包含純主機板出貨型態
資料來源:資策會 MIC 經濟部 ITIS 研究團隊,2023 年 6 月

圖 2-3　臺灣主要資訊硬體產品全球市場占有率

第二章　資訊硬體產業總覽

從出貨地區觀察，北美出貨區域產值仍居首位，然而從 2021 年的 33.9%下滑至 2022 年的 33.6%。位居次位為西歐，從 2021 年的 19.2%下滑至 17.6%。歐美市場 2022 年受到俄烏戰爭影響、通膨衝擊，消費性產品受到影響。亞太地區從 2021 年的 14.5%大幅上調至 17.2%，顯示新興市場需求浮現。另外，中國大陸從 2021 年的 15.5%略降至 2022 年的 15.4%，顯示在 2022 年疫情稍緩，封控解除後，仍維持一定消費力道。

從生產製造據點觀察，位居首位仍為中國大陸，比重相較 2021 年略增 0.4%至 88.9%，而臺灣比重則從 4.5%下降至 3.5%。相較於 2021 年中國大陸疫情嚴峻，導致產能降低情形，2022 年中國大陸大部分區域已解除封控，因此製造據點比重有所增加。

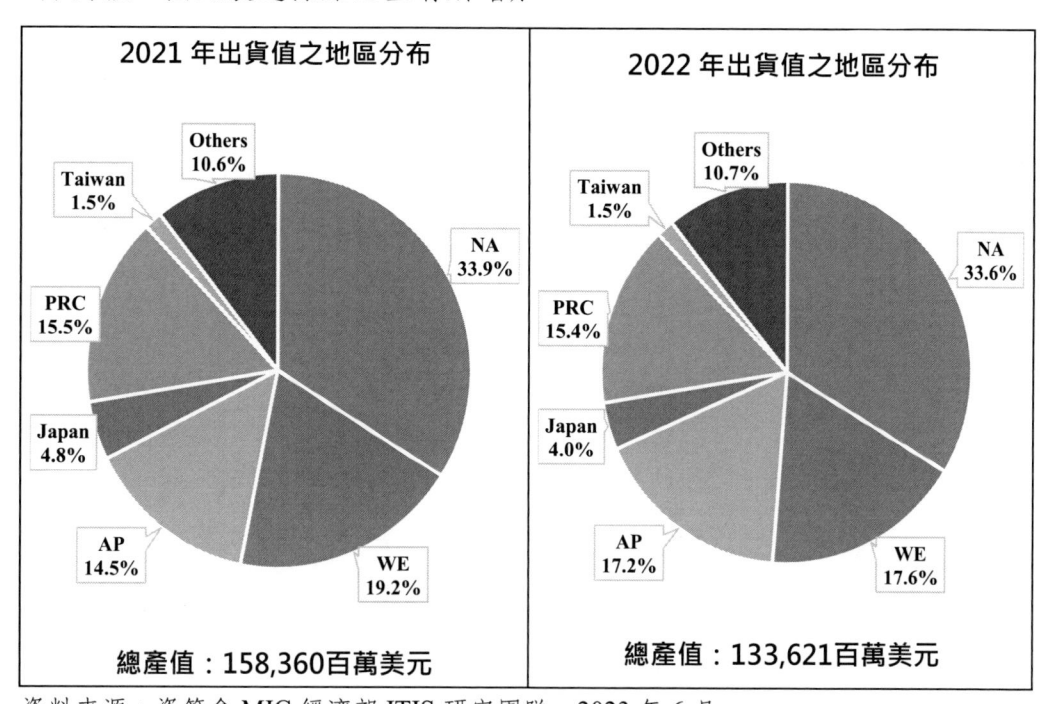

2021 年出貨值之地區分布
- Others 10.6%
- Taiwan 1.5%
- PRC 15.5%
- Japan 4.8%
- AP 14.5%
- WE 19.2%
- NA 33.9%

總產值：158,360 百萬美元

2022 年出貨值之地區分布
- Others 10.7%
- Taiwan 1.5%
- PRC 15.4%
- Japan 4.0%
- AP 17.2%
- WE 17.6%
- NA 33.6%

總產值：133,621 百萬美元

資料來源：資策會 MIC 經濟部 ITIS 研究團隊，2023 年 6 月

圖 2-4　臺灣資訊硬體產業出貨區域產值分析

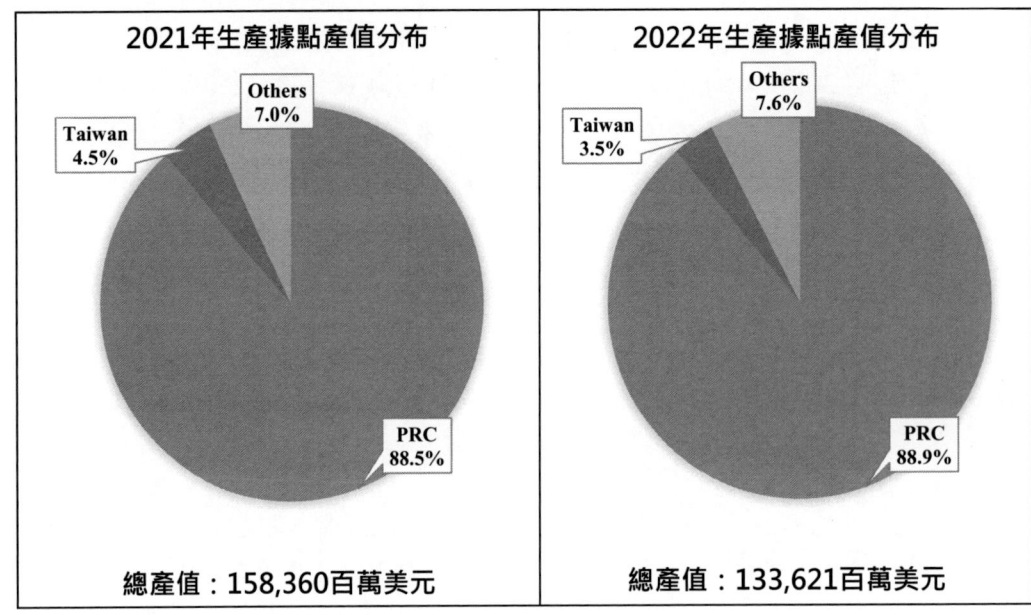

2021年生產據點產值分布
- Others 7.0%
- Taiwan 4.5%
- PRC 88.5%

總產值：158,360百萬美元

2022年生產據點產值分布
- Others 7.6%
- Taiwan 3.5%
- PRC 88.9%

總產值：133,621百萬美元

資料來源：資策會 MIC 經濟部 ITIS 研究團隊，2023 年 6 月

圖 2-5　臺灣資訊硬體產業生產地產值分析

第三章 全球資訊硬體市場個論

一、全球桌上型電腦市場分析

2022 年全球桌上型電腦出貨量約 76,839 千台，相較 2021 年衰退 6.3%。儘管 COVID-19 疫情在全球緩解，企業回歸辦公室，然經濟景氣受到通膨飆升、俄烏戰爭推升歐洲能源價格等因素，抑制市場終端需求，導致供應鏈庫存大增，最終影響桌機出貨量。

首先是 2022 年 2 月爆發的俄烏戰爭，除造成品牌廠商減少出貨至該地區的產品數量外，影響更大的是帶動全球能源與大宗商品價格上漲，使得原本不斷攀升的通貨膨脹更加雪上加霜。導致國際組織陸續調降全球 GDP 成長率，間接影響企業資訊設備的支出意願，影響對桌機產品的採購意願。全球桌機生產主要產地中國大陸在 2022 年 3 月對 COVID-19 採取「清零」防疫策略，陸續有城市採取封城、停工的管制方式，如華南地區的深圳、東莞以及華中地區的上海、昆山等地。中國大陸除了是桌機產業的組裝重鎮，也是全球最大桌機銷售市場，此波管制無異於同時打擊了桌機的供需狀況，對 2022 年上半年桌機出貨造成負面影響。

進入第三季，隨著全球總體政經環境低迷、大宗物資及能源價格則持續向上，桌機相關零組件供應鏈庫存壓力沉重，品牌商對第四季傳統購物及商用市場採購需求，均採取保守觀望態度，處理器等關鍵零組件廠商也積極推出優惠價格，搭配品牌客戶共同推出行銷方案，刺激市場需求。

接連出現的全球總體經濟與地緣政治等負面因素，衝擊桌機產業供應鏈出貨狀況並波及市場需求，導致全球桌機在 2022 年出貨表現自第一季開始逐季走跌。第一季受到傳統淡季與工作日較少影響，與上一季相比出貨量下降，與去年同期比較仍有 12% 的成長。自第二季開始到第四季，不管是與上一季相較或與去年同期相比，都呈現負成長。

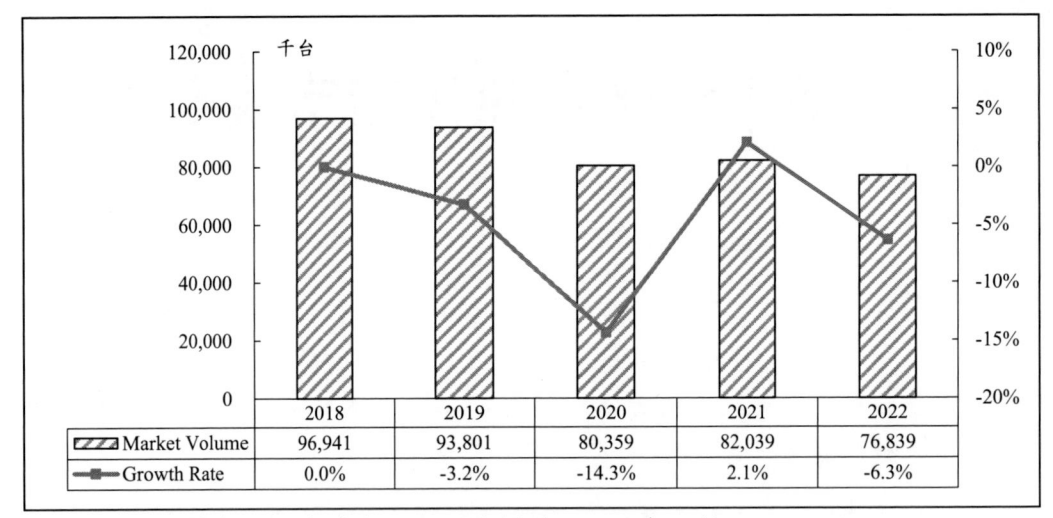

年度	2018	2019	2020	2021	2022
Market Volume	96,941	93,801	80,359	82,039	76,839
Growth Rate	0.0%	-3.2%	-14.3%	2.1%	-6.3%

資料來源：資策會 MIC 經濟部 ITIS 研究團隊，2023 年 6 月

圖 3-1　2018-2022 年全球桌上型電腦市場規模

　　北美的主要國家美國在 2022 年經濟表現低於 2021 年，主因是受到美國聯準會為打壓高通膨而持續採取升息行動。2022 年北美桌上型電腦市場規模約 14,599 千台，較 2021 年衰退 7.6%。究其原因在經歷了 2020 到 2021 年間因為居家上班、封城、旅遊減少及家庭娛樂需求提高等因素，桌機採購需求基本滿足，在 2022 年受到通貨膨脹及升息影響，儘管通路商加大促銷力道，仍難以帶起消費者的購機需求。

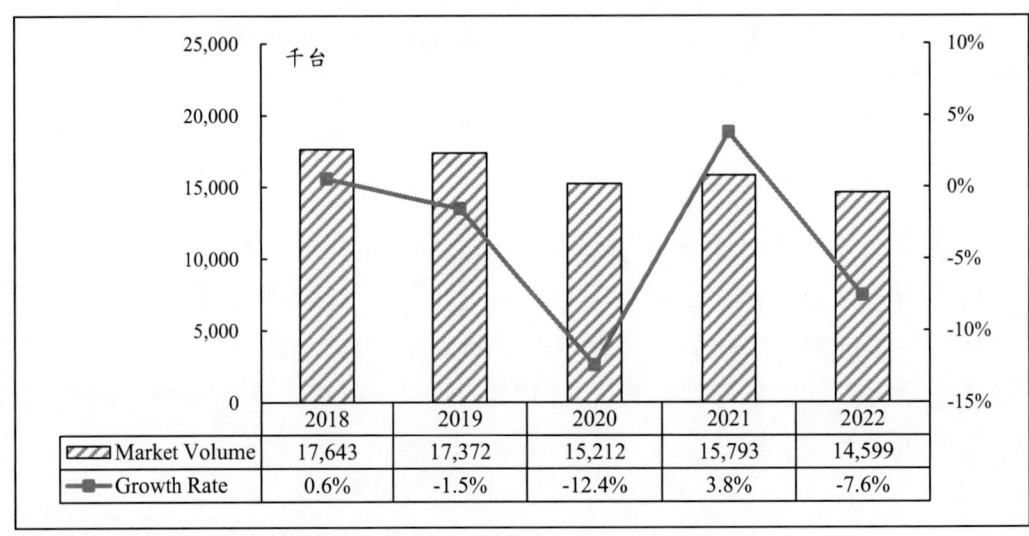

年度	2018	2019	2020	2021	2022
Market Volume	17,643	17,372	15,212	15,793	14,599
Growth Rate	0.6%	-1.5%	-12.4%	3.8%	-7.6%

資料來源：資策會 MIC 經濟部 ITIS 研究團隊，2023 年 6 月

圖 3-2　2018-2022 年北美桌上型電腦市場規模

第三章 全球資訊硬體市場個論

西歐國家 2022 年經濟表現低於 2021 年，主要原因除了面臨高通膨之外，俄烏戰爭爆發推升了能源成本，使得經濟逆風的情勢更加雪上加霜。消費者因為現金流的減少而削減桌機的採購量，西歐地區桌機出貨量衰減幅度達雙位數，為全球衰退最嚴重的區域，西歐 2022 年桌上型電腦市場規模約 6,608 千台，較 2021 年衰退 11%。

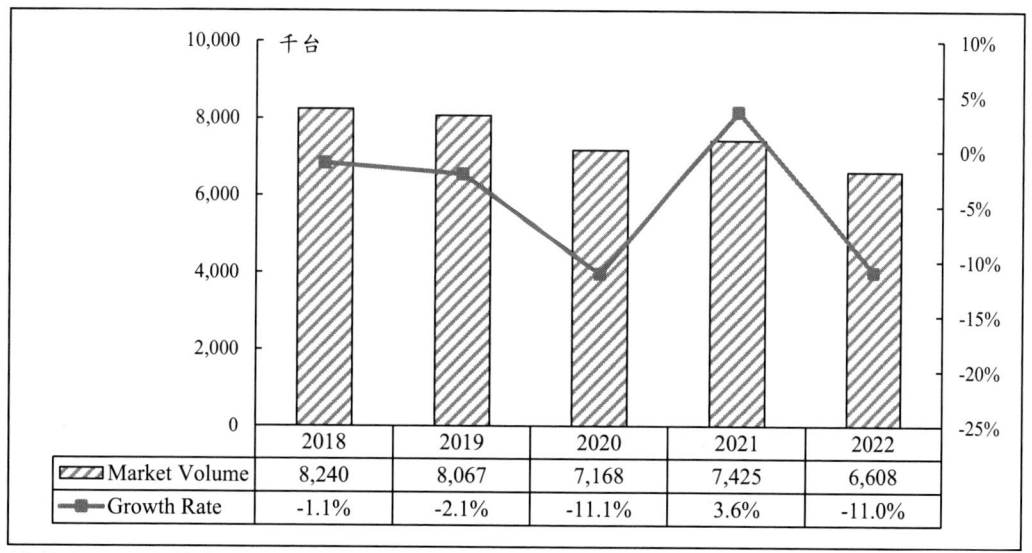

	2018	2019	2020	2021	2022
Market Volume	8,240	8,067	7,168	7,425	6,608
Growth Rate	-1.1%	-2.1%	-11.1%	3.6%	-11.0%

資料來源：資策會 MIC 經濟部 ITIS 研究團隊，2023 年 6 月

圖 3-3　2018-2022 年西歐桌上型電腦市場規模

同樣的，日本地區受通膨影響導致消費者買氣縮減。日本地區 2022 年桌上型電腦整體出貨規模約 1,844 千台，相較於 2021 年衰退 8.6%。因日圓走貶、廠商將增加的成本轉嫁至售價上，加上通膨因素，削減消費者對 PC 設備的採購意願。因日圓走貶、廠商將增加的成本轉嫁至售價上，加上通膨因素，削減消費者對 PC 設備的採購意願。商用桌機採購部分，則同樣受到疫後全球景氣影響，企業減少資本支出並延長 PC 使用期限，影響商用市場需求。

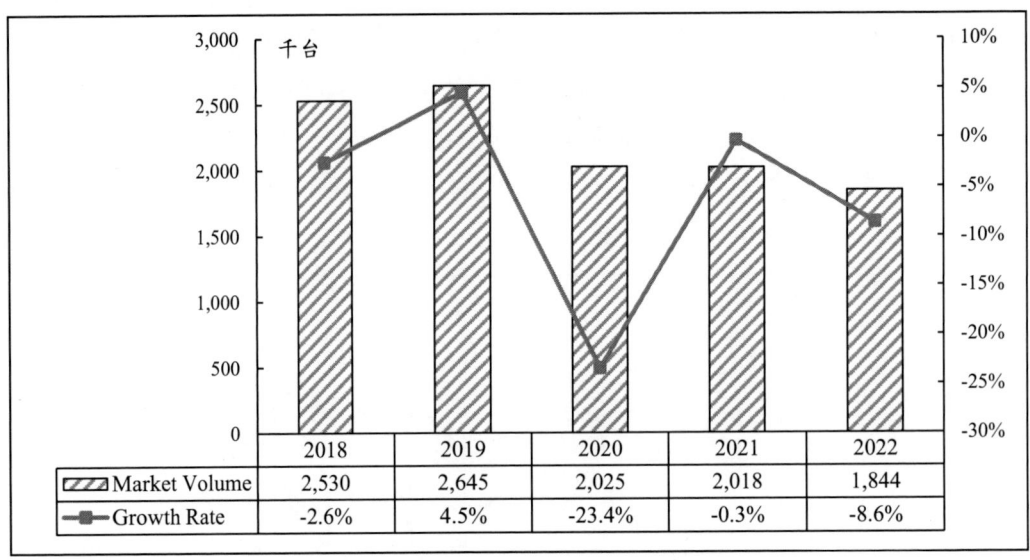

年度	2018	2019	2020	2021	2022
Market Volume	2,530	2,645	2,025	2,018	1,844
Growth Rate	-2.6%	4.5%	-23.4%	-0.3%	-8.6%

資料來源：資策會MIC經濟部ITIS研究團隊，2023年6月

圖3-4　2018-2022年日本桌上型電腦市場規模

亞洲市場包含中國大陸、韓國、東南亞與南亞等，亞洲新興市場是桌機最大宗出貨地區，占比約達46.6%，相較於2021年增加0.9%。主要因素有二，其一是亞洲區域新興發展國家PC設備的滲透率還在持續，在消費端及商用端需求仍具備成長動能，儘管同樣受到這波經濟海嘯影響出貨數量亦呈現衰退，然歐美區域受到經濟衝擊更大，桌機出貨年衰退率為亞洲的兩倍，在此消彼長的情況下，亞洲市場桌機出貨占比提升。

整體而言，2022年亞洲桌上型電腦市場規模達35,807千台，相較於2021年衰退4.5%，歸納衰退最大原因還是受到全球通膨導致的需求減弱影響，主要市場中國大陸在2022年持續對COVID-19進行快速封控的清零政策，讓當地的民眾消費習慣轉趨保守，進而衝擊非民生必需品的電腦設備購買力道，影響桌機供應鏈及國內消費市場。東南亞及印度市場方面，宏碁積極布局東南亞市場，為馬來西亞、越南桌機市占第一的品牌，積極布局電競玩家、創作者、居家使用。儘管受到全球性通膨影響，民眾可支配所得減少，企業採購意願低落，商用市場及消費性桌機需求都有趨緩的現象，該地區對於桌機需求的降低。

第三章　全球資訊硬體市場個論

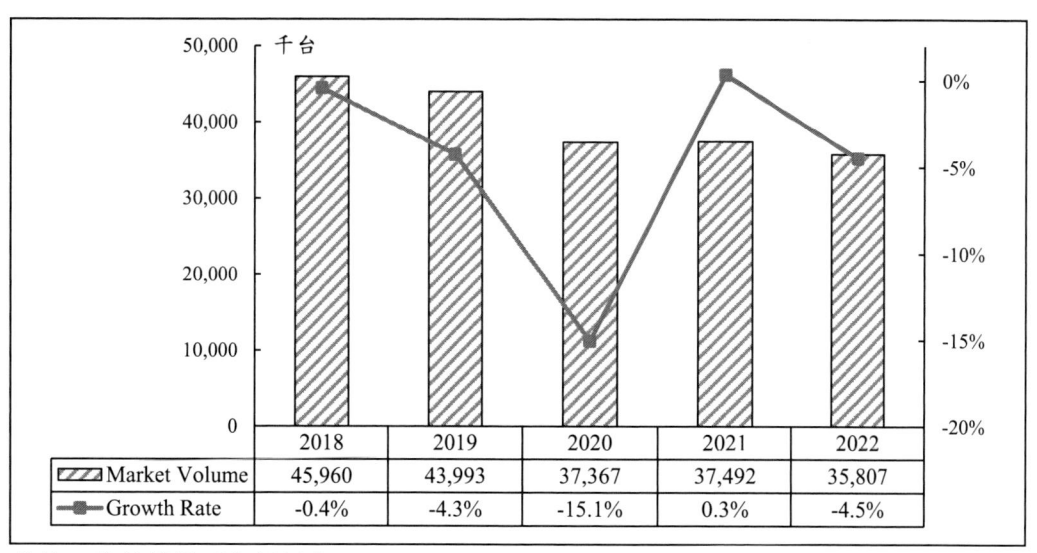

年份	2018	2019	2020	2021	2022
Market Volume	45,960	43,993	37,367	37,492	35,807
Growth Rate	-0.4%	-4.3%	-15.1%	0.3%	-4.5%

備註：統計範圍不包括日本
資料來源：資策會MIC經濟部ITIS研究團隊，2023年6月

圖 3-5　2018-2022年亞洲桌上型電腦市場規模

其他地區市場包含南美洲、中東等地區，多為發展中新興市場，桌上型電腦中低階產品價格相對廉價，受到入門需求的消費者青睞，亦面臨筆記型電腦及其他行動裝置的競爭。2022年全球各地持續面臨燃料和物流成本上漲，以及通貨膨脹等因素影響，衝擊非民生必需品的電腦設備購買力道。

值得關注的是，自疫情爆發以來，混合工作模式逐漸成為趨勢，並且鑑於筆記型電腦為在家及移動到辦公室辦公的混合情境提供更高靈活性，未來將影響企業的採購桌機需求。整體而言，2022年其他地區桌上型電腦市場規模約17,980千台，衰退達6.9%。

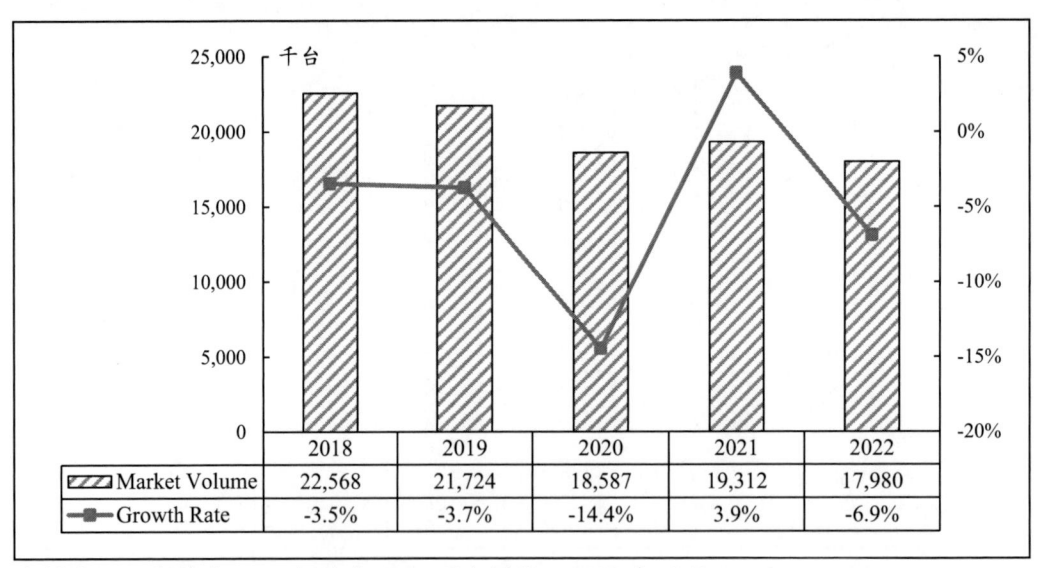

	2018	2019	2020	2021	2022
Market Volume	22,568	21,724	18,587	19,312	17,980
Growth Rate	-3.5%	-3.7%	-14.4%	3.9%	-6.9%

資料來源：資策會 MIC 經濟部 ITIS 研究團隊，2023 年 6 月

圖 3-6　2018-2022 年其他地區桌上型電腦市場規模

二、全球筆記型電腦市場分析

　　2022 年全球筆記型電腦市場規模達 193,336 千台，相較 2021 年衰退 22.4%，占全球傳統個人電腦市場（不含平板電腦）比重約 71.6%。2022 年全球筆電市場歷經了「先盛後衰」的波動轉變，上半年供應鏈廠商忙著備料出貨，甚至擔心封城影響通路庫存的鋪貨；然而，時至年中，整體市場需求出現快速反轉，除了受到疫後需求紅利不再外，受惠教育標案而快速成長的 Chromebook 市場榮景也無再現，俄烏戰爭更拖累歐美地區總體經濟表現，這場軍事衝突不僅造成歐洲地區的經濟下滑，民主與極權兩大陣營針對金融的制裁與能源的反制也牽動全球總體經濟的復甦速度，迫使北美及其他國家為維持物價穩定，多次採取升息政策，卻也使全球經濟衰退風險持續墊高，影響消費者採購 IT 設備的需求，也讓 2022 年全球筆電市場的衰退幅度較原先預期的更為明顯。

第三章　全球資訊硬體市場個論

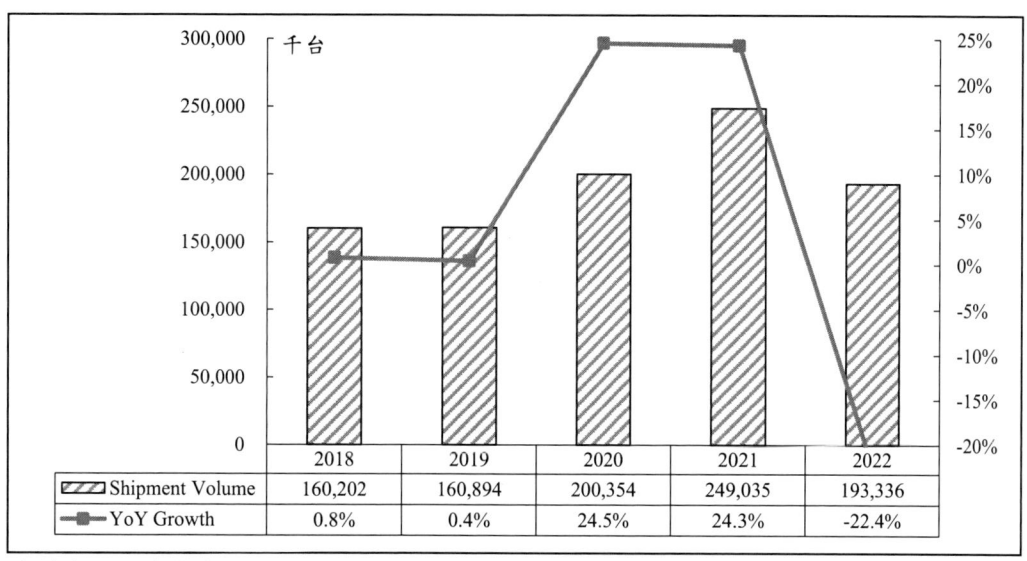

	2018	2019	2020	2021	2022
Shipment Volume	160,202	160,894	200,354	249,035	193,336
YoY Growth	0.8%	0.4%	24.5%	24.3%	-22.4%

資料來源：資策會 MIC 經濟部 ITIS 研究團隊，2023 年 6 月

圖 3-7　2018-2022 年全球筆記型電腦市場規模

　　北美市場在前兩年受惠 COVID-19 疫情的帶動，出現連續兩年市場規模年成長率超過兩成的優異表現，然而，面對教育標案規模的逐步收斂，再加上全球景氣衰退，美國聯準會祭出多次上調基準利率的手段，在 2022 年裡，美國的累積升息達到 17 碼之多，史無前例的緊縮政策引發了全球金融市場及股票市場的震盪，也打擊了北美地區的購買力，降低對於 IT 設備等非急迫性的消費支出。

　　面對居高不下的通膨及升息導致的嚴峻經濟前景，不僅消費者支出有所縮減，2022 下半年起陸續傳出北美大型科技公司推動裁員計畫或暫停招聘的消息，企業凍結人力招聘，撙節成本預算，持續性的資本支出縮編，讓北美市場的商用筆電需求不斷走弱，也使北美市場的筆電銷售表現出現較大幅度的衰退。2022 年北美筆電市場規模年衰退 27.3%，達約 60,276 千台。

　　從品牌廠在北美市場的表現來看，除了原先的兩大本土品牌 HP 及 Dell 持續站穩北美市場超過四成的市占率外，Apple 受惠 M 系列晶片的優異表現，以及美中貿易糾紛對於聯想等陸系品牌的銷售影響，使其超越聯想，成為北美市場中的三大主力筆電品牌廠，共占據了北美市場中超過六成的市場需求。至於臺灣品牌的 Acer 和 ASUS，在北美市場的銷售策

略並無太大改變,銷售排名亦無太大改變,分別居於北美市場第五及第六的位置。

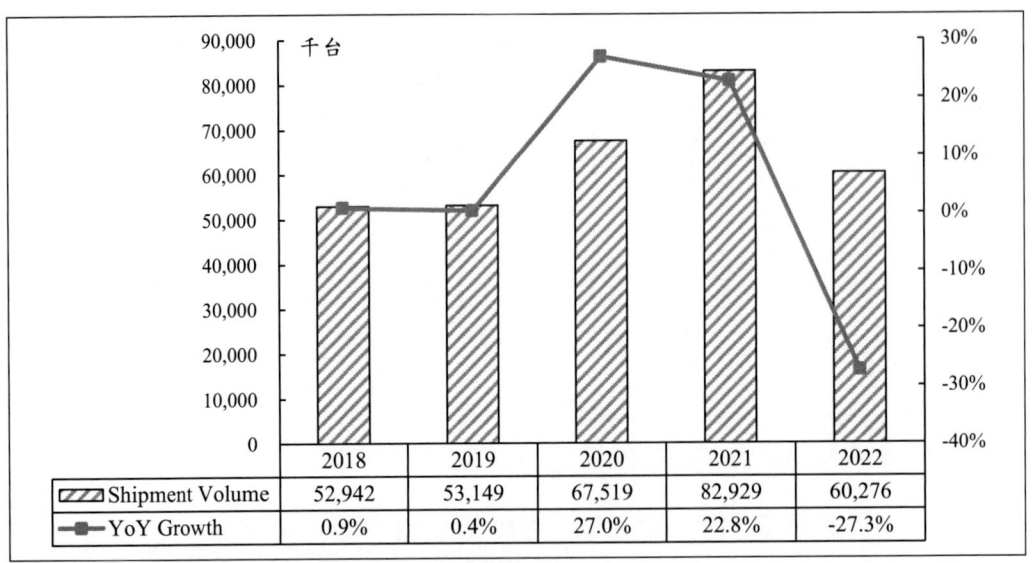

	2018	2019	2020	2021	2022
Shipment Volume	52,942	53,149	67,519	82,929	60,276
YoY Growth	0.9%	0.4%	27.0%	22.8%	-27.3%

資料來源:資策會MIC經濟部ITIS研究團隊,2023年6月

圖 3-8　2018-2022年北美筆記型電腦市場規模

2022年2月24日,全球發生重大地緣政治戰爭,俄羅斯正式向烏克蘭政府宣戰,不僅大舉入侵烏克蘭,打破冷戰結束後的和平歲月,更成為第二次世界大戰後歐洲規模最大的戰爭之一。俄烏戰事的開打,帶來大量的死傷,更使得俄、烏與國際間的貿易全面暫停,不少科技大廠為譴責俄羅斯的作為,因而發起抵制政策,包含Apple、Dell、HP等美系廠商均加入抵制行列,停止在俄羅斯出貨或是當地的產品銷售與服務;西方經濟對於俄羅斯的制裁,也讓臺灣等非俄羅斯盟國的國家的廠商擔心受到牽連,因此不敢貿然出貨至俄羅斯,也讓輸往東歐地區的筆電數量明顯降低。

與此同時,俄羅斯為報復西方的制裁措施,限制歐洲仰賴的天然氣供應數量,使能源價格大幅飆漲,原本認為雙方將可能透過多方會談方式,放下武器進行對話的期望並未實現,雙方戰役的持續延長,讓全球能源與糧食供應的陰霾難消,對於能源、大宗商品價格的衝擊更擴散至全球總體經濟,導致全球通膨更加高漲,更直接的影響終端消費力道的表現。

西歐市場便是其中一個受到嚴重衝擊的經濟體,歐洲地區能源價格的調漲,讓消費市場需求受到限制,個人可支配所得的收縮及嚴寒氣候對

於能源需求的成長,讓西歐對於消費產品買氣出現替代效應,使西歐地區消費性筆電需求大幅縮減。企業端也同時面臨中小企業大幅削減個人電腦採購的不利因素,讓西歐筆電市場自2022第三季起快速下滑,儘管第四季品牌廠在黑色星期五、聖誕節等消費季進行促銷活動,然市場需求仍未有過往旺季效應的表現。2022年西歐筆電市場規模約為39,644千台,年減約28.6%。

觀察西歐市場各品牌廠銷售情況,西歐地區的主力筆電品牌以聯想及HP為雙箭頭,後面則有Dell以及Apple兩家美系廠商。臺灣筆電品牌廠Acer及ASUS近年靠著電競及Chromebook挺進西歐市場,然受到2022年度教育標案收斂影響,使得Acer在西歐地區的占比有較明顯的下滑,ASUS則持續耕耘電競商機,維持一定程度的市占表現。

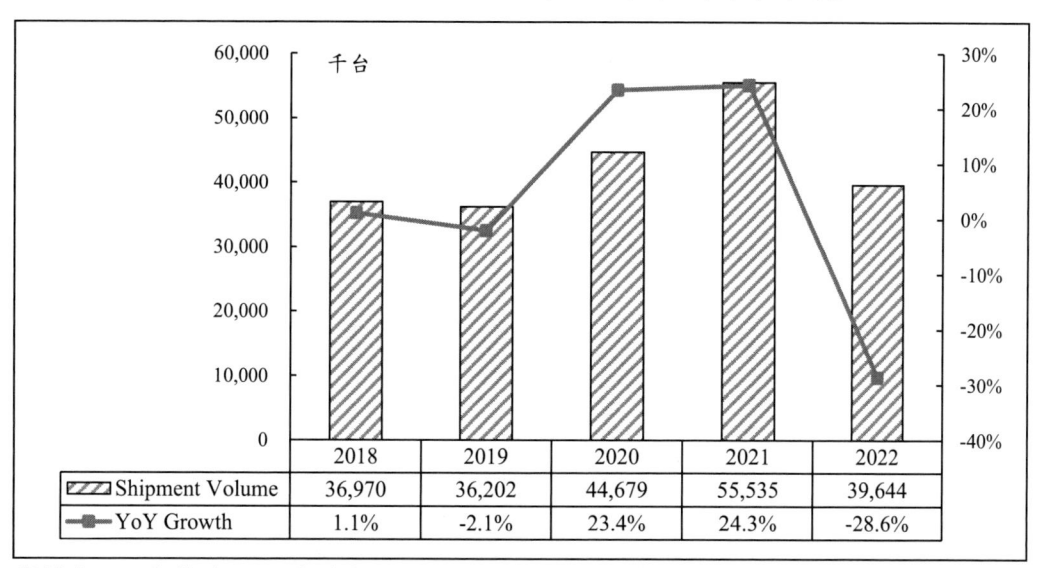

	2018	2019	2020	2021	2022
Shipment Volume (千台)	36,970	36,202	44,679	55,535	39,644
YoY Growth	1.1%	-2.1%	23.4%	24.3%	-28.6%

資料來源:資策會MIC經濟部ITIS研究團隊,2023年6月

圖3-9　2018-2022年西歐筆記型電腦市場規模

全球通貨膨脹的壓力,不僅影響著北美、西歐等地區,因經濟壓力使市場需求疲軟的影響,也同樣擴及到日本市場,尤其在Chromebook標案縮手的狀況下,讓日本筆電市場同樣遭逢逆風。不過,相較於北美及西歐地區大幅度的出貨衰退,日本B2C市場表現相對優異,主要原因與日本當地薪資調漲有關,根據日本厚生勞動省的調查,日本企業於2022年實施薪資調漲的比率超過85%,是自COVID-19疫情後的逆轉回升,薪資

的調漲使得日本消費力道能有所支撐，也使得日本筆電市場的衰退幅度相對較小。2022 年日本筆電市場規模約為 8,888 千台，年衰退約 15.0%。

從品牌廠的表現來看，本土品牌的日本電氣(NEC)及富士通(Fujitsu)雖然因教育筆電需求的減弱，而使出貨狀況有所影響，不過兩家日系筆電品牌廠持續耕耘日本當地使用者需求，推出符合當地消費者特性之筆電產品，強化產品差異化特色，並透過各大電器銷售平台進行販售，使其得以站穩日本市場出貨市占率。反觀臺灣筆電品牌廠 Acer 及 ASUS 在 2021 年站穩了日本教育標案市場的多數占比，然隨著日本地區 Chromebook 需求的下滑，也使其在日本地區的品牌廠市占率有所衰退，其中又以 Acer 的衰退最為明顯。

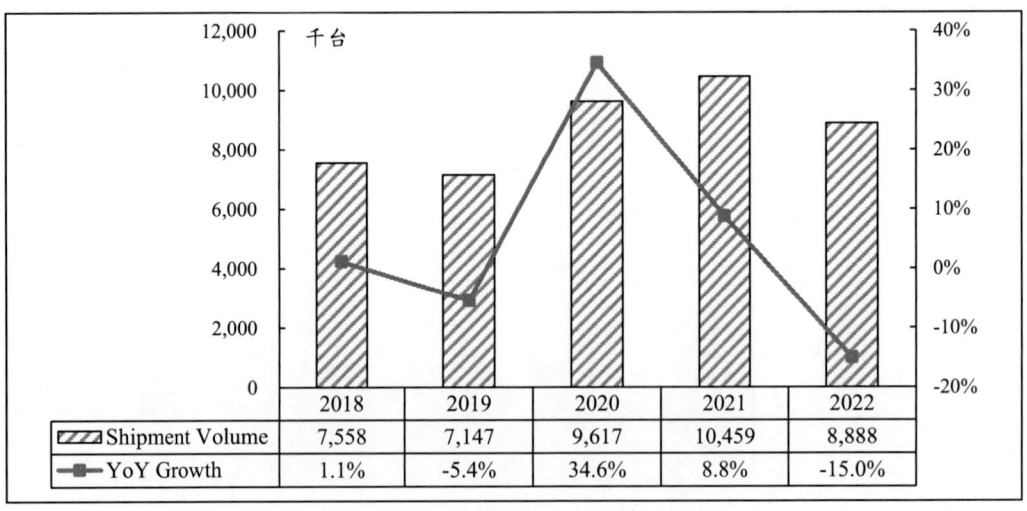

	2018	2019	2020	2021	2022
Shipment Volume	7,558	7,147	9,617	10,459	8,888
YoY Growth	1.1%	-5.4%	34.6%	8.8%	-15.0%

資料來源：資策會 MIC 經濟部 ITIS 研究團隊，2023 年 6 月

圖 3-10　2018-2022 年日本筆記型電腦市場規模

除了日本之外，亞洲市場包含中國大陸、韓國、東南亞與南亞等，2022 年筆電市場規模下滑 17.4%，達約 59,888 千台，主要衰退原因來自於中國大陸對疫情封控措施的反覆。

2022 年傳播力更強的變種病毒來襲，全球多數國家選擇與病毒共存，放寬管制措施，僅有中國大陸仍採行嚴格的清零防疫政策，讓中國大陸經濟最終在封閉式管制下，付出龐大的代價。尤其是在 2022 上半年陸續對深圳、東莞、上海等地進行封城管控措施，不僅造成多個城市的企業停止

生產活動，也嚴重影響供應鏈穩定，讓不少跨國企業調整在中國大陸生產的比重，使當地投資計畫被推遲甚至取消。

到了第三季，中國大陸四川省、重慶省更無預警宣布限電措施，實施讓電予民策略，勒令企業全面停止生產或採輪流限電模式，讓在陸生產的供應商措手不及，政府保民生用電、限工業用電的作法，讓已跌入谷底的中國大陸經濟再受打擊，低迷的經濟表現也使中國大陸最大消費購物節雙十一買氣冷颼，消費者對於購物採取更謹慎的態度，即便在購物旺季也僅針對生活必需品進行採購。

觀察品牌廠出貨表現，中國大陸市場以陸系品牌為主，尤其在中國大陸推行國營企業及政府機構全面使用本土 PC 品牌的政策下，更使聯想、華為、小米等當地筆電品牌商占據近一半的中國大陸市場銷售量。

東南亞市場方面，近年來東南亞地區不僅持續在電競領域展現強勁的成長動力，同時，印度市場筆電滲透率的持續提高，也使當地的筆電市場銷售與全球相比，呈現逆勢成長的情形。

臺灣筆電廠 Acer、ASUS、MSI 等在東南亞地區均擁有不錯的市占率。Acer 持續因應「印度製造」需求，加大於當地的投資力道，針對筆電後段組裝設置組裝線，並進一步與當地協力廠夥伴合作，擴增當地筆電產量，強化爭取標案的優勢。ASUS 持續擴展旗下電競商品，並將品牌優勢擴展至商用市場及學生需求，積極抓住新興市場的成長量能。

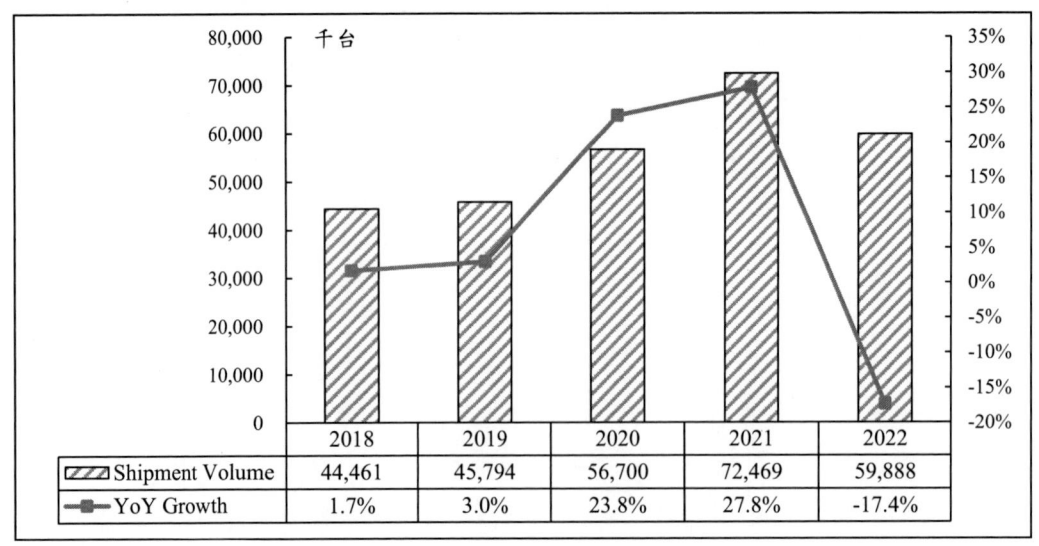

	2018	2019	2020	2021	2022
Shipment Volume	44,461	45,794	56,700	72,469	59,888
YoY Growth	1.7%	3.0%	23.8%	27.8%	-17.4%

備註：統計範圍不包括日本
資料來源：資策會 MIC 經濟部 ITIS 研究團隊，2023 年 6 月

圖 3-11　2018-2022 年亞洲筆記型電腦市場規模

　　至於在其他市場方面，包含中南美洲、中東等，臺灣筆電品牌廠 ASUS、Acer、MSI 深耕這些新興市場，主要原因是看好當地的電競市場需求的持續增長。例如，沙烏地阿拉伯電競協會與臺灣電子競技運動協會於 2019 年簽訂產業合作備忘錄後，除了將 2019 年制定為娛樂元年，更持續與臺灣在電競產業進行交流，並開展賽事合作，期盼推升當地電競產業的成長。2022 年 9 月更公布遊戲和電競國家戰略，預期投資 380 億美元，目標是在 2030 年將沙烏地阿拉伯打造成為世界電子競技中心。而整個中東市場也正憑藉著遊戲產業從休閒遊戲擴展至虛擬現實遊戲和電競體育，而使相關電競筆電需求有明顯增長。2022 年中南美洲、中東地區等其他區域的筆電市場規模約達 24,640 千台，約衰退 10.9%，相較其他地區衰退幅度較小。

第三章　全球資訊硬體市場個論

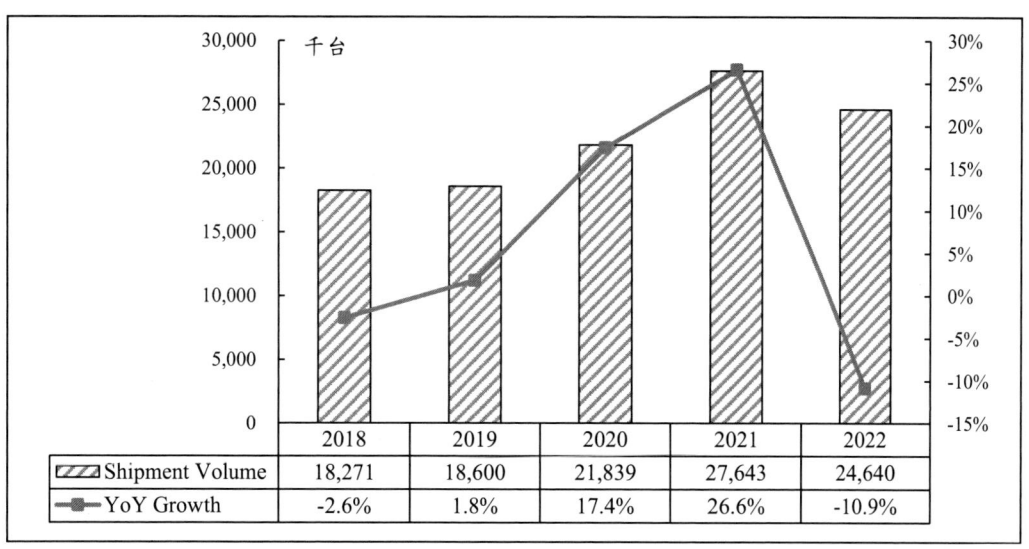

	2018	2019	2020	2021	2022
Shipment Volume	18,271	18,600	21,839	27,643	24,640
YoY Growth	-2.6%	1.8%	17.4%	26.6%	-10.9%

資料來源：資策會 MIC 經濟部 ITIS 研究團隊，2023 年 6 月

圖 3-12　2018-2022 年其他地區筆記型電腦市場規模

三、全球伺服器市場分析

　　全球伺服器市場規模在 2022 年達 13,611 千台，相較 2021 年成長 4.8%。2022 年 Amazon、Microsoft、Google 及 Meta 等美系雲端服務商加速在全球建造資料中心，陸續規劃新的資料中心設置地點與服務區域，因此成為伺服器的大宗採購者。

　　在雲端服務商資料中心動態方面，受到全球經濟下滑、通貨膨脹風險影響，以及淨零碳排的目標，各雲端服務商逐步調高伺服器使用年限。在全球淨零碳排的趨勢下，資料中心做為具有高用電需求的基礎設施，成為達成訂定目標的重點關注對象。雲端服務商透過設計並導入散熱系統、透過 AI 運算進行電力調節及研發電力備援等方式來進行因應。

　　與此同時，雲端服務商亦希望延長伺服器使用年限，藉此來降低處理廢棄物所造成的環境成本。當前雲端服務商紛紛提出延長年限措施，AWS 於 2022 年 1 月將伺服器折舊年限由 4 年提升至 5 年，Microsoft 於 2022 年 7 月將折舊年限由 4 年延長至 6 年，Google 則於 2021 年將折舊年限由 3 年延長至 4 年。而其具體執行的作法是和供應商修訂或重新洽談合約，在給予更多合約金的情形下，要求供應商延長伺服器的維修與保固年限。

此舉儘管對於當前伺服器產業不會產生立即性影響，但就長期而言，伺服器換機潮的週期將會更久，使長期市場動能下降。

在國際局勢方面，美國對於高階晶片進口中國大陸持續提出限制措施，而伺服器作為高效能運算（HPC）、大規模平行模擬等應用的關鍵硬體，受到高度的關注。美國商務部當前針對供貨給中國大陸國防、軍事及航空相關的廠商提出未經核實清單（UVL），如列入 UVL 清單後無法於 60 天內自證，將會被歸入實體清單。不排除未來會將潛在風險之中國大陸伺服器品牌商、CSP 列入未經核實清單，對中國大陸伺服器產業造成影響。

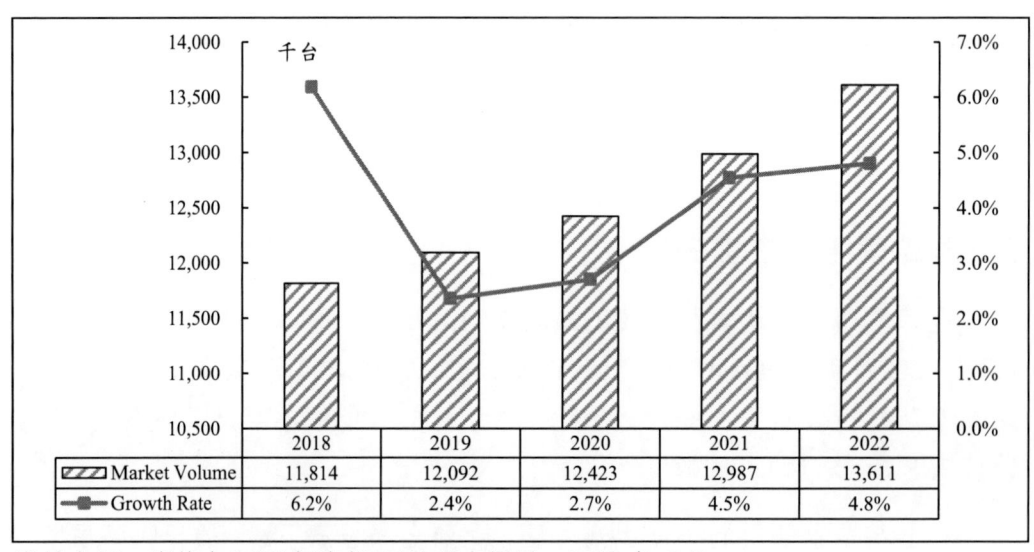

年份	2018	2019	2020	2021	2022
Market Volume (千台)	11,814	12,092	12,423	12,987	13,611
Growth Rate	6.2%	2.4%	2.7%	4.5%	4.8%

資料來源：資策會 MIC 經濟部 ITIS 研究團隊，2023 年 6 月

圖 3-13　2018-2022 年全球伺服器市場規模

從區域市場發展來觀察，2022 年北美的全球占比為 47.2%，市場規模達 6,418 千台，為全球最大的市場，年成長率為 5.3%。2022 年美系雲端服務商仍在積極擴建資料中心，透過資料中心區域（Region）數量可以發現，AWS 在 2022 年正在建置的區域數量有 8 個，Microsoft 有 21 個、Google 有 5 個，皆會帶動各廠商的資本支出與伺服器需求。另外，受到企業數位轉型及雲端服務需求的影響，及各國基於國家機密及個資等資訊安全，對於資料在地化的政策陸續開始實施，亦促使雲端服務商積極於

全球建造資料中心。在區域型需求的帶動下,也會透過和當地資料中心託管商或電信商租借資料中心,打造更貼近企業端的雲端服務。

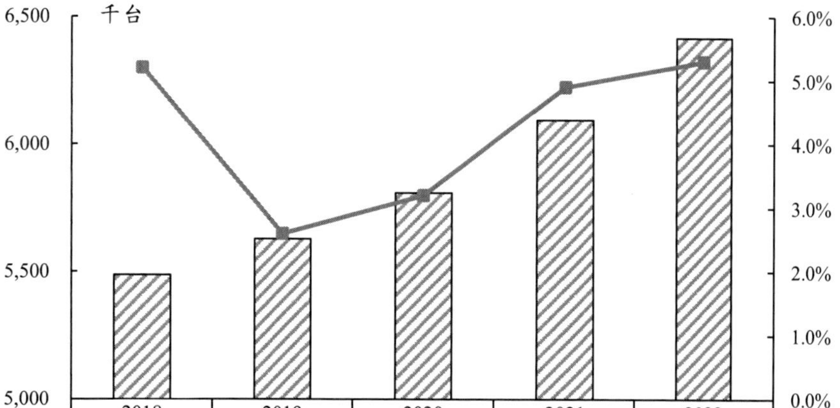

	2018	2019	2020	2021	2022
Market Volume	5,487	5,630	5,810	6,095	6,418
Growth Rate	5.2%	2.6%	3.2%	4.9%	5.3%

資料來源:資策會MIC經濟部ITIS研究團隊,2023年6月

圖 3-14　2018-2022 年北美伺服器市場規模

2022年西歐的市場規模達1,913千台,年成長率為2.4%。2022年4月8日,歐盟理事會提出高效能雲的開發Cloud IPCEI計畫,建立面向未來的歐洲雲基礎設施。項目總投資額超過52億歐元,希望能打造從處理器到零組件到伺服器的生態鏈。

2022年10月,則更新GAIA-X歐洲資料基礎架構計畫的數據交換服務規範,截至2022年底GAIA-X計畫已吸引超過350個伺服器產業相關的企業。歐洲持續進行將算力自主化的措施,因此對於伺服器的需求持續上升。另外歐盟亦在推行超級電腦計畫,提升對具有高附加價值的高階伺服器的需求量。

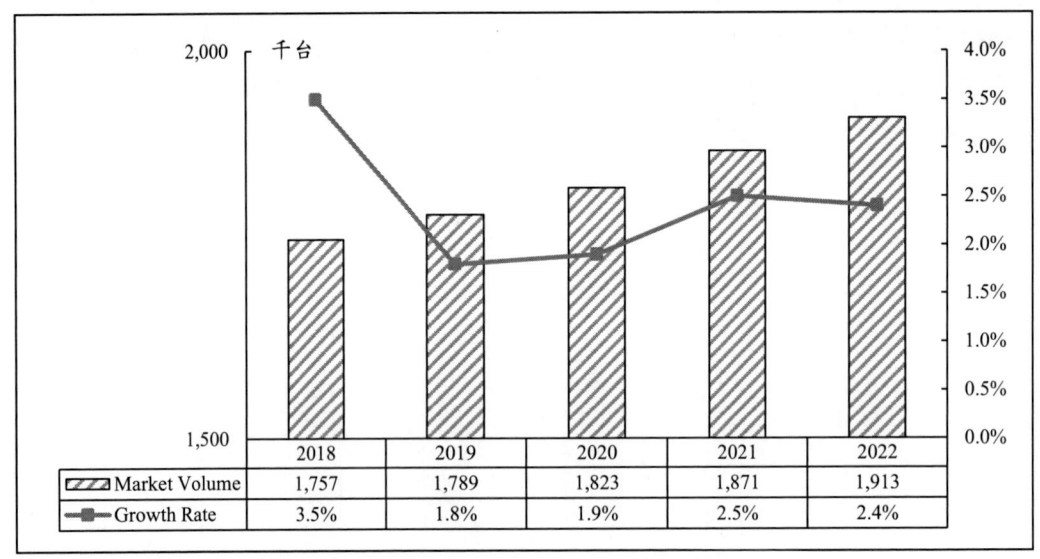

	2018	2019	2020	2021	2022
Market Volume	1,757	1,789	1,823	1,871	1,913
Growth Rate	3.5%	1.8%	1.9%	2.5%	2.4%

資料來源：資策會 MIC 經濟部 ITIS 研究團隊，2023 年 6 月

圖 3-15　2018-2022 年西歐伺服器市場規模

2022 年日本伺服器市場規模達 531 千台，年成長率 1.6%。日本擁有 Fujitsu、NEC、Hitachi 等伺服器品牌商，並且做為雲端服務商在東北亞的資料中心建造重要據點，對於當地市場對伺服器的需求仍在上升。此外，日本資料中心託管商包含 NTT、SCSK、日本 Equinix、SAKURA Internet、AGS 等企業。

採用伺服器的方式主要分為兩種，一種即為和伺服器品牌商採購，若是提供給大眾客戶使用，在使用品牌上較為自由，然若是政府標案，通常會偏向和本土品牌商採購，包含 NEC、Fujitsu，藉此符合政府的資安需求；另一種採購模式則為直接和伺服器代工廠採購，而此些則為直接和伺服器白牌廠商進行採購，主要是由我國伺服器代工業者所提供，而此些採購均成為日本伺服器市場成長的動能。

第三章　全球資訊硬體市場個論

	2018	2019	2020	2021	2022
Market Volume	498	510	513	523	531
Growth Rate	5.5%	2.5%	0.6%	2.0%	1.6%

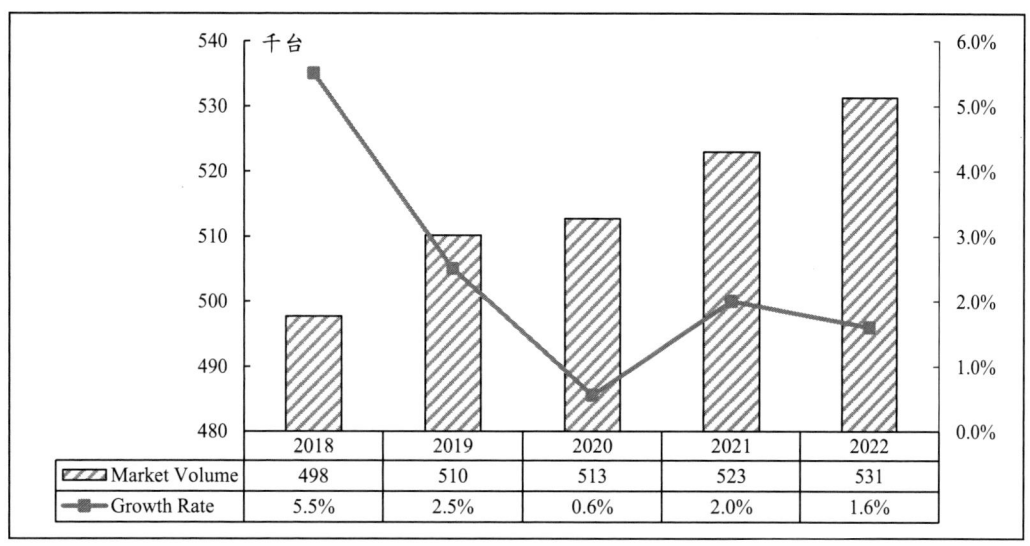

資料來源：資策會MIC經濟部ITIS研究團隊，2023年6月

圖 3-16　2018-2022 年日本伺服器市場規模

　　除了日本之外，亞洲市場包含中國大陸、東南亞與南亞等，2022年的市場規模達3,902千台，年成長率6.2%，在中國大陸方面，在2022上半年因為實施COVID-19動態清零政策，執行疫情封控措施，導致伺服器產能遞延至2022下半年。此外，百度、阿里巴巴、騰訊等中系雲端服務商，受到當地經濟及政策因素的影響，2022年在雲端服務及資料中心之發展態勢趨緩，惟字節跳動仍維持成長的動能。

　　東南亞與南亞則受惠於雲端服務商建造資料中心的需求，AWS、Microsoft及Google於東南亞新加坡、馬來西亞，南亞的印度等地均在積極興建資料中心，亦帶動當地的伺服器市場。

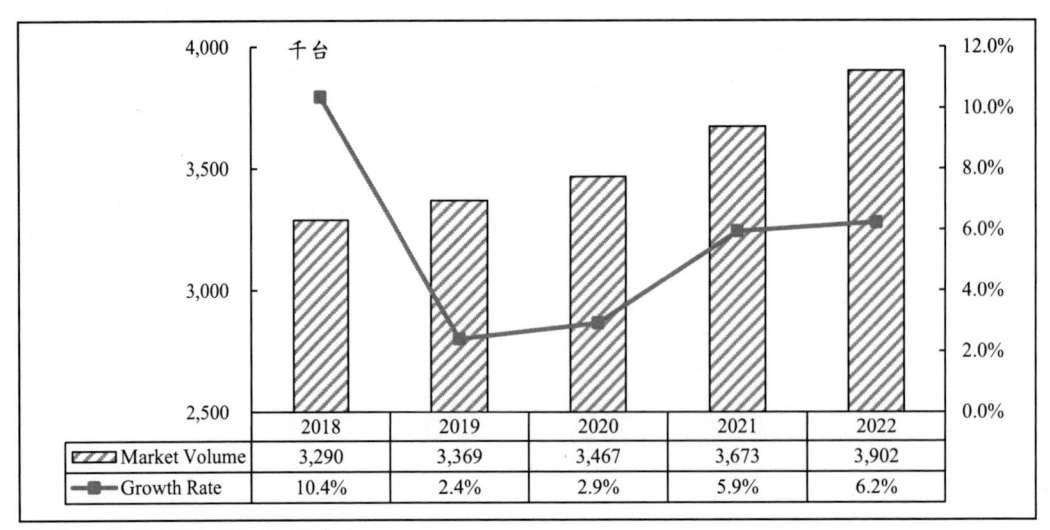

年份	2018	2019	2020	2021	2022
Market Volume (千台)	3,290	3,369	3,467	3,673	3,902
Growth Rate	10.4%	2.4%	2.9%	5.9%	6.2%

備註：統計範圍不包括日本
資料來源：資策會MIC經濟部ITIS研究團隊，2023年6月

圖 3-17　2018-2022年亞洲伺服器市場規模

2022年其他地區伺服器出貨量為847千台，年成長率2.5%。企業數位轉型及雲端服務需求已成為全球的趨勢，Equinix、Digital Reality等全球大型資料中心託管商，亦積極尋找新的市場。包含中南美洲、非洲等地均成為其布局的目標，透過自行建造或併購當地企業的方式，切入當地的資料中心市場，並帶動當地的伺服器需求。

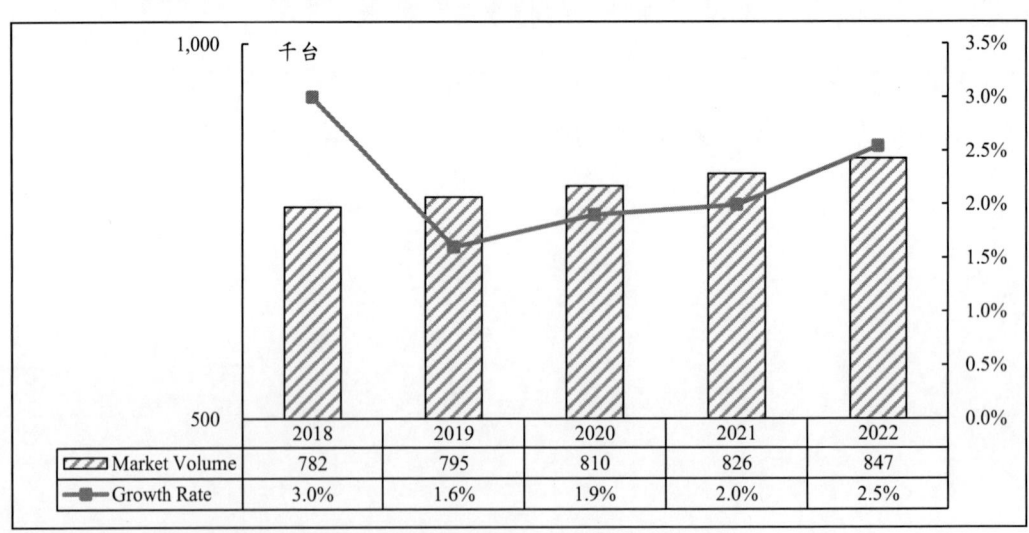

年份	2018	2019	2020	2021	2022
Market Volume (千台)	782	795	810	826	847
Growth Rate	3.0%	1.6%	1.9%	2.0%	2.5%

資料來源：資策會MIC經濟部ITIS研究團隊，2023年6月

圖 3-18　2018-2022年其他地區伺服器市場規模

四、全球主機板市場分析

2022年全球主機板市場規模約84,057千片，年衰退13.3%。2022年受到全球俄烏戰爭影響歐洲市場需求，加上美國總體經濟表現不佳、帶動通膨高漲導致的消費不振，讓主機板產業兩個重要的出貨區域都受到影響，以致讓整體出貨呈現向下滑落。

隨著疫情紅利消退、挖礦風潮停滯，使得主機板品牌廠商在高階、電競等產品機種的銷售，連帶受到影響，造成產品出貨下滑。至於系統層級的出貨狀況，則是受到品牌廠商持續出清庫存壓力影響，雖然也會搭配處理器廠商的新品上市，但出貨狀況占整體銷售比重不高，對產品平均價格的提升也相對不若過往。

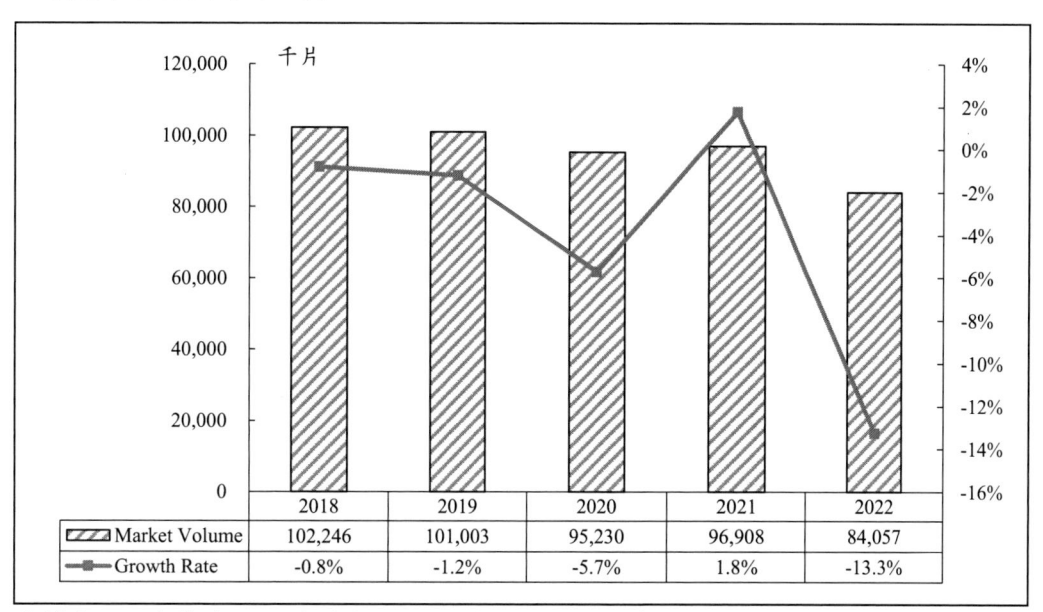

	2018	2019	2020	2021	2022
Market Volume	102,246	101,003	95,230	96,908	84,057
Growth Rate	-0.8%	-1.2%	-5.7%	1.8%	-13.3%

資料來源：資策會MIC 經濟部ITIS研究團隊，2023年6月

圖3-19　2018-2022年全球主機板市場規模

2022年北美主機板市場出貨規模約15,719千片，年衰退率為15.1%。2022年主要受到全球政經情勢不穩，及高通膨壓力的影響，加上大部分商用市場與消費市場對PC產品的採購，多已在2020-2021年間發生，以致於在北美市場不論是系統層級的出貨，或純主機板的出貨方式，都相較2021年出現衰退。

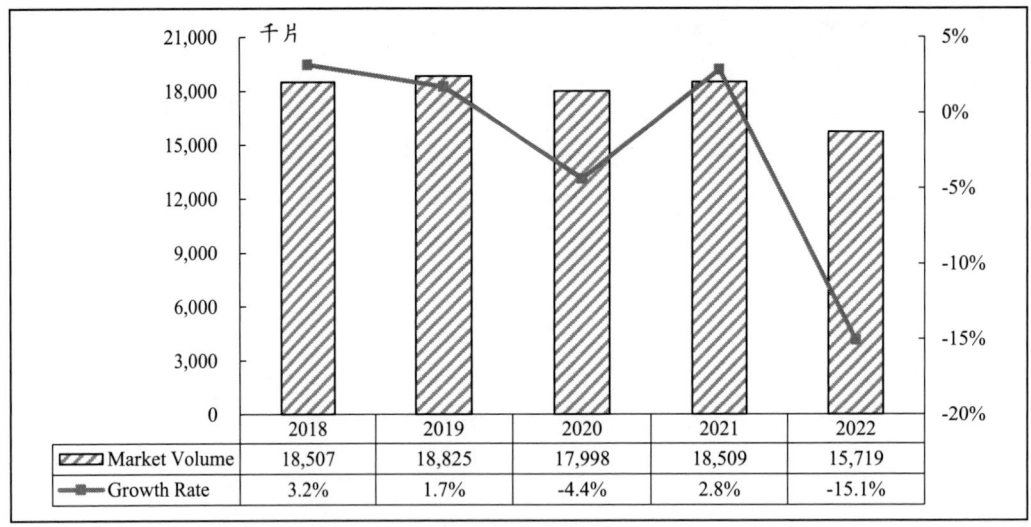

	2018	2019	2020	2021	2022
Market Volume	18,507	18,825	17,998	18,509	15,719
Growth Rate	3.2%	1.7%	-4.4%	2.8%	-15.1%

資料來源：資策會MIC經濟部ITIS研究團隊，2023年6月

圖 3-20　2018-2022 年北美主機板市場規模

2022年西歐主機板市場出貨規模跌破1千萬片，僅約9,078千片，年衰退率為23.8%。2022年西歐地區主要受到2月份俄烏戰爭的影響，能源價格與大宗商品物價齊漲，不僅企業營收下滑影響商用市場採購需求，也使得終端買氣出現大幅度衰減。甚至在2021年上半年因宅經濟需求使得主機板市場規模小幅成長的狀況，造成2022年的大幅度衰減。

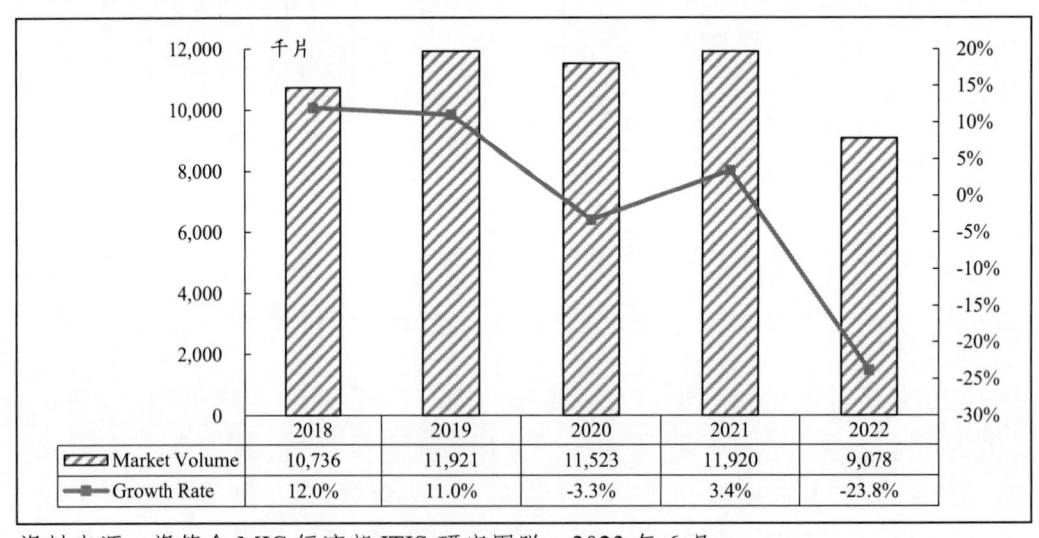

	2018	2019	2020	2021	2022
Market Volume	10,736	11,921	11,523	11,920	9,078
Growth Rate	12.0%	11.0%	-3.3%	3.4%	-23.8%

資料來源：資策會MIC經濟部ITIS研究團隊，2023年6月

圖 3-21　2018-2022 年西歐主機板市場規模

2022 年日本主機板市場出貨規模約 1,513 千片，年衰退率為 8.2%。2022 年日本雖然已經擺脫 COVID-19 疫情的陰霾，然疫情期間日本市場受惠遠距工作、遠距學習帶來的需求，以及 GIGA School 教育標案的推動，消費者多以選購筆電及 Chromebook 為主，降低對桌機產品的需求，影響主機板需求表現。

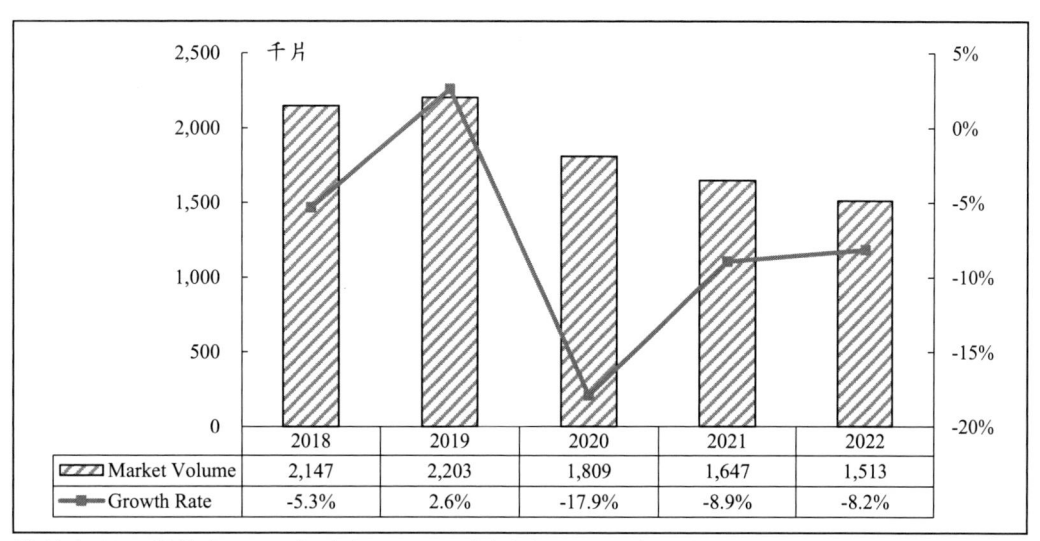

	2018	2019	2020	2021	2022
Market Volume	2,147	2,203	1,809	1,647	1,513
Growth Rate	-5.3%	2.6%	-17.9%	-8.9%	-8.2%

資料來源：資策會 MIC 經濟部 ITIS 研究團隊，2023 年 6 月

圖 3-22　2018-2022 年日本主機板市場規模

2022 年亞太地區主機板市場出貨規模約 45,853 千片，年衰退率為 11.6%。中國大陸是亞太地區最大的市場，但受到疫情管制政策影響市場銷售狀況與工廠製造生產，加上中國大陸官方針對挖礦風潮進行管制，直接影響顯示卡銷售狀況，也讓主機板通路市場買氣出現崩盤，連帶影響消費者購買意願。

東南亞市場方面，2021 年因為挖礦熱潮導致顯示卡缺貨嚴重，使得板卡業者在銷售顯示卡時，採取綑綁銷售策略，亦即出貨給當地通路端時會連同主機板一起販售，此舉則推升純主機板在東南亞市場的出貨表現，但因 2022 年挖礦風潮退燒，市場上出現相當多二手顯示卡，加上全球景氣不佳、歐美市場需求下滑，讓系統產品與板卡業者將東南亞市場視為出清存貨的重點區域。

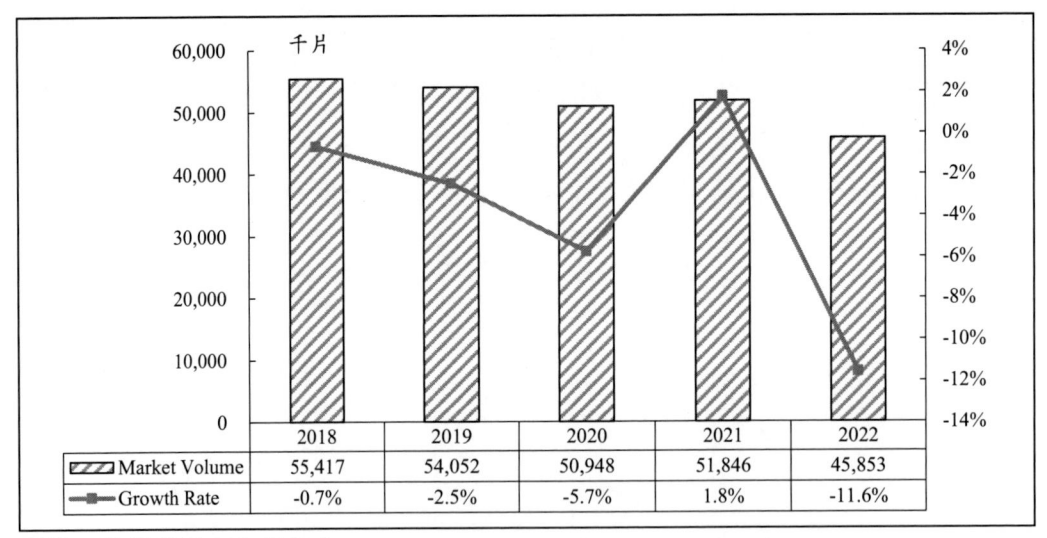

	2018	2019	2020	2021	2022
Market Volume	55,417	54,052	50,948	51,846	45,853
Growth Rate	-0.7%	-2.5%	-5.7%	1.8%	-11.6%

備註：統計範圍不包括日本
資料來源：資策會MIC經濟部ITIS研究團隊，2023年6月

圖 3-23　2018-2022年亞洲主機板市場規模

2022年其他發展中的新興市場，如南美洲、中東、東歐等地區，主機板市場規模約11,894千片，年衰退率為8.4%。此區域桌上型電腦市場雖仍受終端市場青睞，但也面臨筆記型電腦及其他行動裝置的競爭。2022年受到疫情衝擊的程度趨緩，但因通膨壓力影響，也讓以中低階主機板機種為主流的新興市場，在出貨上也受影響。

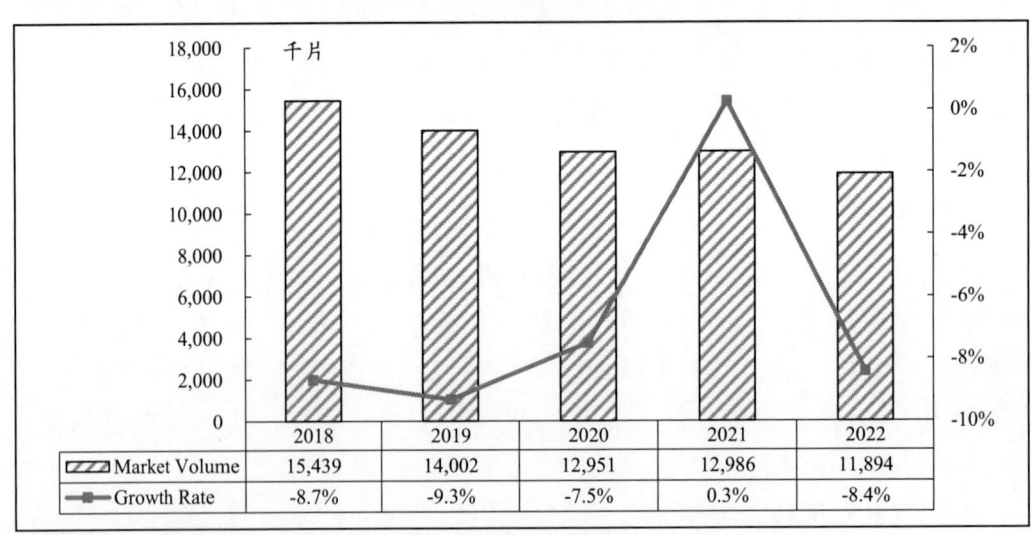

	2018	2019	2020	2021	2022
Market Volume	15,439	14,002	12,951	12,986	11,894
Growth Rate	-8.7%	-9.3%	-7.5%	0.3%	-8.4%

資料來源：資策會MIC經濟部ITIS研究團隊，2023年6月

圖 3-24　2018-2022年其他地區主機板市場規模

第四章 臺灣資訊硬體產業個論

一、臺灣桌上型電腦產業現況與發展趨勢分析

（一）產量與產值分析

2022 年臺灣桌上型電腦出貨量約 41,609 千台，年衰退 6.3%，受到俄烏戰爭、全球通膨等影響，加上疫情紅利消失，終端消費需求急凍。2022 年桌機出貨受到全球總體政經環境不穩、大宗物資及能源價格持續攀升等多項負面因素影響，使得通貨膨脹壓力持續擴散，不僅消費市場需求停滯，連商用市場都在通膨、升息等因素下而漸趨保守，影響桌機整體出貨表現。首先是在 2022 年 2 月爆發的俄烏戰爭，除直接造成品牌廠商減少出貨至該地區的產品數量外，影響更大的是刺激能源與大宗商品價格上漲，使得原本不斷攀升的通貨膨脹更加雪上加霜，也讓許多國際組織陸續調降全球 GDP 成長率，間接影響企業資訊設備的支出意願，並調降對桌機產品的採購意願。

接連出現的全球總體經濟與地緣政治等負面因素，衝擊桌機產業供應鏈出貨狀況並波及了市場需求。臺灣桌機出貨表現在 2022 年自第一季開始逐步走跌，第一季受到傳統淡季與工作日較少影響，與上一季相比出貨量下降，與去年同期比較成長達 12%。然而，自第二季開始到第四季，不管是與上一季相較或與去年同期比較，都呈現負成長。

進入第三季，隨著全球總體政經環境持續低迷、大宗物資及能源價格則持續向上，桌機相關零組件供應鏈庫存壓力沉重。儘管第四季處理器廠商陸續發布新一代桌機處理器，仍難以刺激總體經濟環境不佳下的市場消費動能，通路商在年終消費活動上祭出優惠價格，市場需求依舊低迷，導致供應鏈庫存壓力倍增，品牌客戶減少拉貨，影響臺灣桌機代工出貨量。

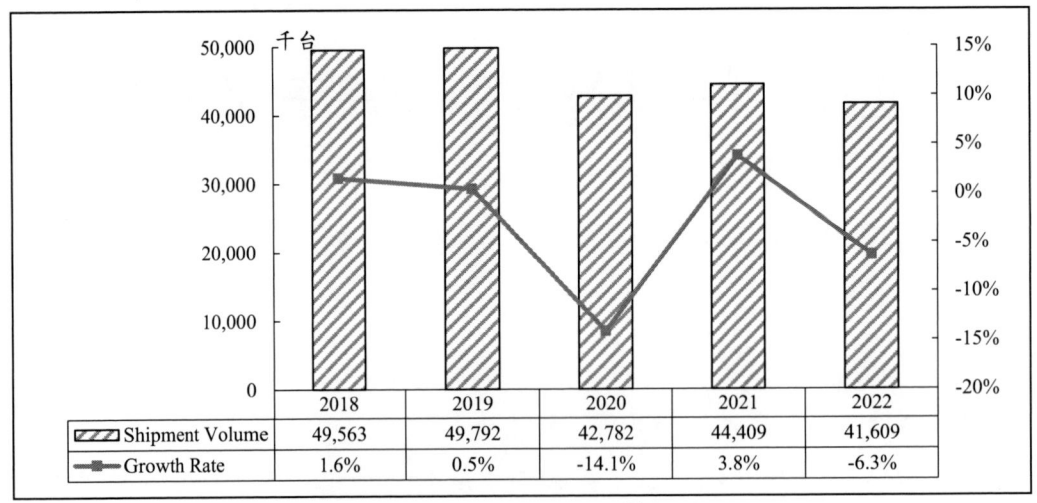

	2018	2019	2020	2021	2022
Shipment Volume	49,563	49,792	42,782	44,409	41,609
Growth Rate	1.6%	0.5%	-14.1%	3.8%	-6.3%

資料來源：資策會 MIC 經濟部 ITIS 研究團隊，2023 年 6 月

圖 4-1　2018-2022 年臺灣桌上型電腦產業總產量

產值方面，2022 年臺灣桌上型電腦產值約 114.3 億美元，年衰退約 6.1%，剖析產值衰退原因，主要受到產量下滑所致，ASP 則是有微幅成長。ASP 部分，由於 IC 等關鍵零組件的供應鏈已恢復常態，價格上升主要受到 2022 年 CPU 及 GPU 推出新一代產品，以及桌機在 DDR5 應用上占比微幅提升，ASP 從 2021 年的 274.2 美元些微增加到 2022 年的 274.8 美元。

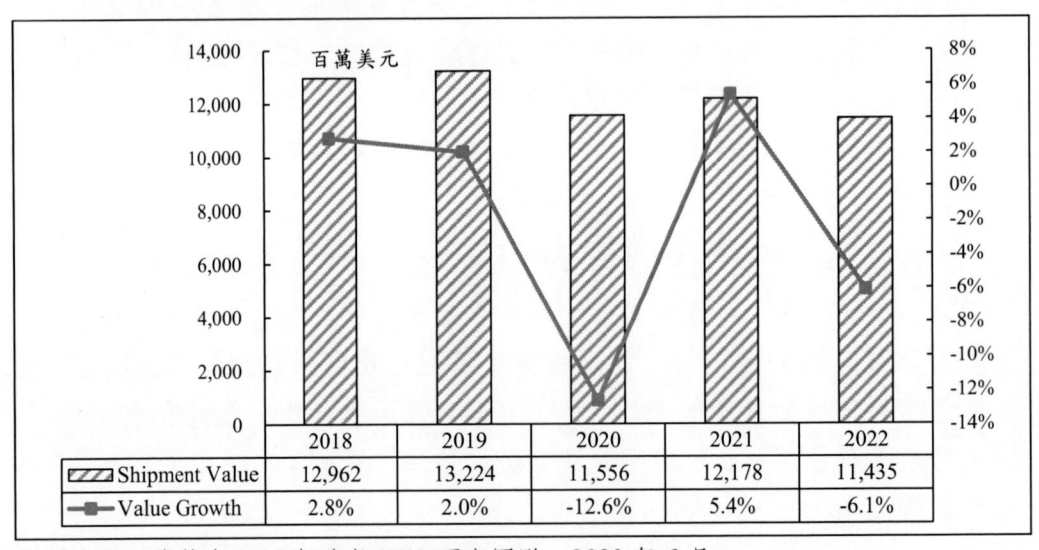

	2018	2019	2020	2021	2022
Shipment Value	12,962	13,224	11,556	12,178	11,435
Value Growth	2.8%	2.0%	-12.6%	5.4%	-6.1%

資料來源：資策會 MIC 經濟部 ITIS 研究團隊，2023 年 6 月

圖 4-2　2018-2022 年臺灣桌上型電腦產業總產值

（二）業務型態分析

臺灣桌上型電腦代工業者主要客戶組成在 2022 年無大致變動，國際 PC 品牌業者如 HP、Dell、Apple 及聯想（Lenovo），主要由鴻海（Foxconn）、緯創（Wistron）、廣達（QCI）等臺灣業者進行代工。

2022 年臺灣 OEM/ODM 比例下滑至 97.2%，一部分原因為中國大陸持續提高自行生產比重，積極培養自家供應鏈提升本土零組件廠實力。因此中系品牌商聯想正持續提高產品的自行生產及委託中國大陸當地業者代工比重，以符合中方政府欲提高自製率以及培養自家代工業者的策略。此外，2022 年 5 月中國大陸當局命令中央政府機構及國家支持的企業，在兩年內必須改用國貨取代外國品牌 PC，在 2024 年 5 月前中國大陸相關國營機構將完成 PC 品牌本土化的換裝。預期中系品牌廠將逐步降低委臺生產訂單，提高中國大陸國內生產比重。

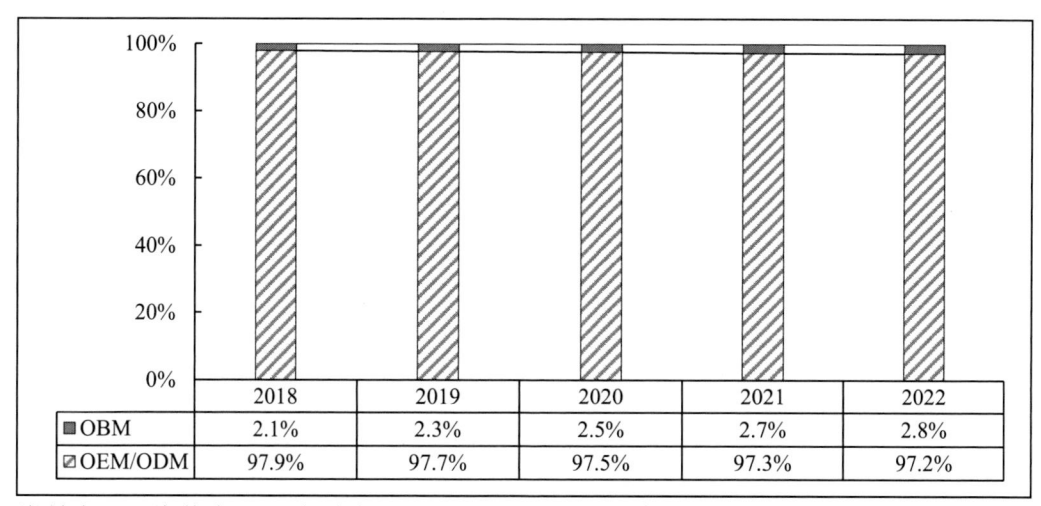

	2018	2019	2020	2021	2022
OBM	2.1%	2.3%	2.5%	2.7%	2.8%
OEM/ODM	97.9%	97.7%	97.5%	97.3%	97.2%

資料來源：資策會 MIC 經濟部 ITIS 研究團隊，2023 年 6 月

圖 4-3　2018-2022 年臺灣桌上型電腦產業業務型態別產量比重

（三）出貨地區分析

2022 年臺灣桌上型電腦出貨區域比例以北美最高，中國大陸為第二大市場，亞太地區市場第三。整體來說，各區域市場的出貨量相較於 2021 年全面衰退，市場占比顯現的是此消彼長，比較明顯變化

是臺灣桌機出貨亞太市場的占比成長，中國大陸市場占比衰退，兩者市場比例只差了 0.3%。臺灣桌機出貨中國大陸市場衰退原因，受到中國大陸品牌桌機持續擴大 In-house 比例，同時中國大陸政府及相關企業 PC 設備皆改採購本土品牌，加上中國大陸執行 COVID-19 清零政策關係，中國大陸民眾的消費力道轉趨保守，出貨占比較 2021 年明顯衰退。相對來說，亞太地區出貨占比相較於 2021 年上升了 0.5%，儘管出貨數量呈現衰退，其衰退程度相較於歐美及中國大陸市場來的少，故占比增加。

西歐市場主要在 2022 年受到俄烏戰爭衝擊，能源價格高漲加上全球經濟惡化，桌機消費需求驟減，影響歐洲市場的出貨量。此外，由於俄羅斯發起俄烏戰爭，國際大廠暫停向俄羅斯供貨，儘管俄羅斯桌機出貨占比有限，對臺灣桌機出貨數量仍造成影響。

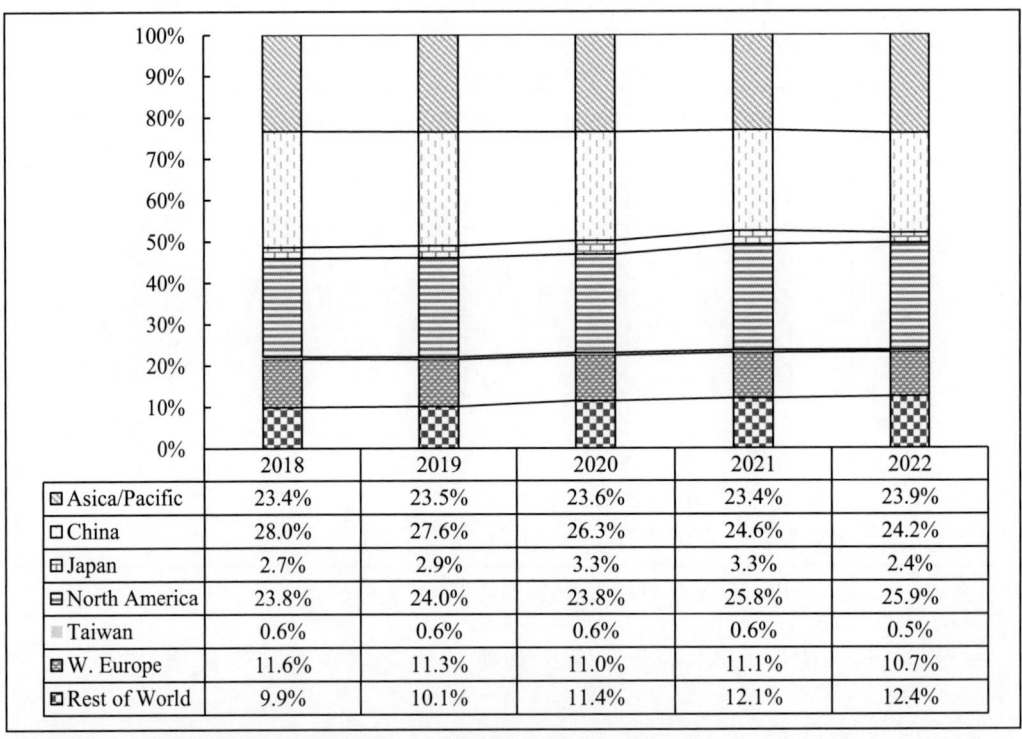

	2018	2019	2020	2021	2022
Asica/Pacific	23.4%	23.5%	23.6%	23.4%	23.9%
China	28.0%	27.6%	26.3%	24.6%	24.2%
Japan	2.7%	2.9%	3.3%	3.3%	2.4%
North America	23.8%	24.0%	23.8%	25.8%	25.9%
Taiwan	0.6%	0.6%	0.6%	0.6%	0.5%
W. Europe	11.6%	11.3%	11.0%	11.1%	10.7%
Rest of World	9.9%	10.1%	11.4%	12.1%	12.4%

資料來源：資策會 MIC 經濟部 ITIS 研究團隊，2023 年 6 月

圖 4-4　2018-2022 年臺灣桌上型電腦產業銷售地區別產量比重

（四）產品結構分析

　　處理器大廠英特爾（Intel）與超微半導體（AMD）在桌機的競爭由來已久，2022 年 AMD 在處理器市場占比持續提升，達到 25.7%。主因是，兩家處理器在效能及穩定度上差異越來越小，在消費端市場 AMD 處理器在價格上具有優勢，商用市場 Intel 處理器占據八成以上市場。在 2022 年第三季市場庫存積壓情況下，Intel 卻調漲處理器價格，品牌客戶減少拉貨；另一方面 AMD 則針對上一代處理器推出優惠價格趁機清理庫存，從 Intel 手裡奪取市占。而在 Others 則包含 M1 處理器的部分，由於 Apple 在 2022 年 Mac 桌機部分未推出新品，缺乏新品帶動換機動力下，加上經濟景氣影響市場需求，處理器市場占比下滑。

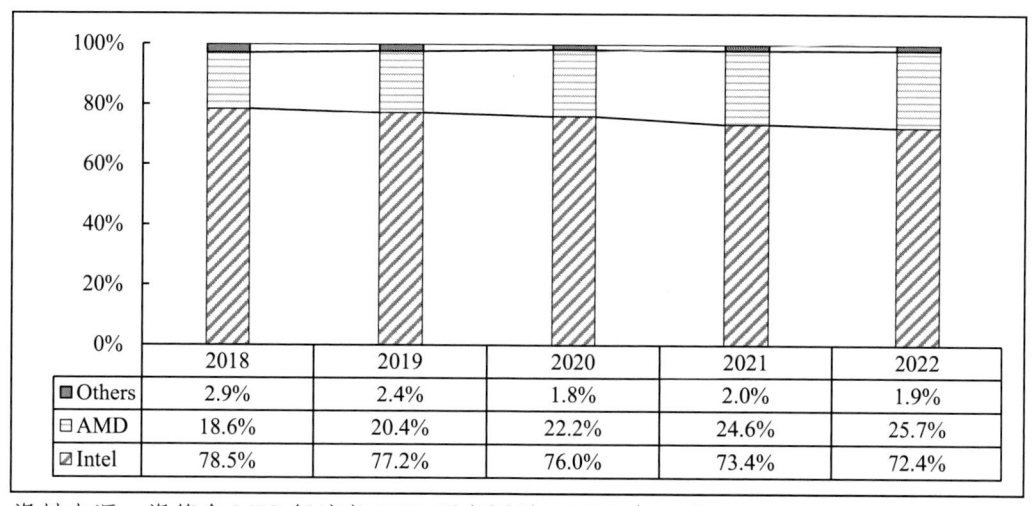

	2018	2019	2020	2021	2022
Others	2.9%	2.4%	1.8%	2.0%	1.9%
AMD	18.6%	20.4%	22.2%	24.6%	25.7%
Intel	78.5%	77.2%	76.0%	73.4%	72.4%

資料來源：資策會 MIC 經濟部 ITIS 研究團隊，2023 年 6 月

圖 4-5　2018-2022 年臺灣桌上型電腦產業中央處理器採用架構分析

（五）發展趨勢分析

　　臺灣桌機以代工業者為主，持續以提高毛利為目標，精進高技術門檻產品的製作能力，例如：電競桌機、商用桌機、AIO PC、創作者應用等。供應鏈 China+1 成為資訊硬體製造產業接下來要面臨的長期議題，臺灣代工全球超過半數的桌機產品，未來將積極布局新的生產製造產業聚落，以彈性因應變化中的國際地緣政治等經濟風險。

中國大陸為全球桌機主要生產據點，占比超過80%。2022年中國大陸歷經停電危機，防疫封鎖措施造成電子產業零組件供應鏈斷鏈危機，美系品牌商啟動供應鏈移出中國大陸以降低過度依賴之風險。臺廠ODM生產據點轉移的準備最早於2018年中美貿易戰開打之際便已著手，隨著2022年中美科技戰如火如荼開展之際，ODM正式加速布局動作，緊接著科技戰影響範圍從晶片延燒到消費性電子產品，美系桌機品牌廠商於2022年底啟動供應鏈去中化行動，供應北美市場桌機產線首當其衝。

二、臺灣筆記型電腦產業狀況與發展趨勢分析

（一）產量與產值分析

筆記型電腦產業發展已高度成熟，市場規模相對穩定，代工比重亦無太大變化。2020年受惠COVID-19疫情帶動的宅經濟效應，讓原本市場成長率變動不大的筆電需求有了爆發性的成長，然而，2022年在俄烏戰事、全球通膨升溫、北美升息以及中國大陸採取動態清零政策等黑天鵝事件影響下，讓2022年全筆電球市場出貨頻頻下修。

且隨著全球通膨壓力的逐步升溫，市場需求不斷衰退，且影響力道一路從消費性需求擴散至一般企業，商用及消費用筆電採購支出的縮手，不僅讓筆電需求持續呈現疲弱，更連帶使得零組件、半成品及成品的庫存水位堆高，讓筆電產業廠商面臨降價銷售與庫存成本高漲的雙面風險，同時全球筆電市場規模的縮減，也連帶使得臺灣筆電代工產業的產量及產值大幅下滑。

從品牌廠商排名來看，2022年受到Chromebook市場需求腰斬，以及中國大陸推行採用自家品牌的影響，讓聯想在2022年的筆電出貨量追上HP，成為筆電出貨量的龍頭廠商。接續的排序則無太大改變，依次是Dell、Apple、華碩、宏碁等廠商。另外，全球品牌廠商中還包含韓系品牌廠三星（Samsung）、樂喜金星（LG），陸系的小米、華為，日本品牌NEC、Fujitsu，以及Google與Microsoft等品牌廠皆持續於筆電市場中耕耘。

第四章　臺灣資訊硬體產業個論

在筆電代工產業方面，臺灣筆電代工憑藉優異的產品設計能力、產業供應鏈完善、產品生產良率及品質管理等競爭優勢，在全球筆電出貨長期占據近八成的占比。雖然近期受到中國大陸提高自製比例影響，使得部分陸系品牌廠商開始將訂單轉由華勤等中國大陸當地ODM廠進行代工，然整體而言，臺灣仍具筆電出貨的重要地位，2022年臺灣筆電代工產業出貨量為151,197千台，較2021年衰退24.6%，占全球筆記型電腦市場出貨的78.2%。

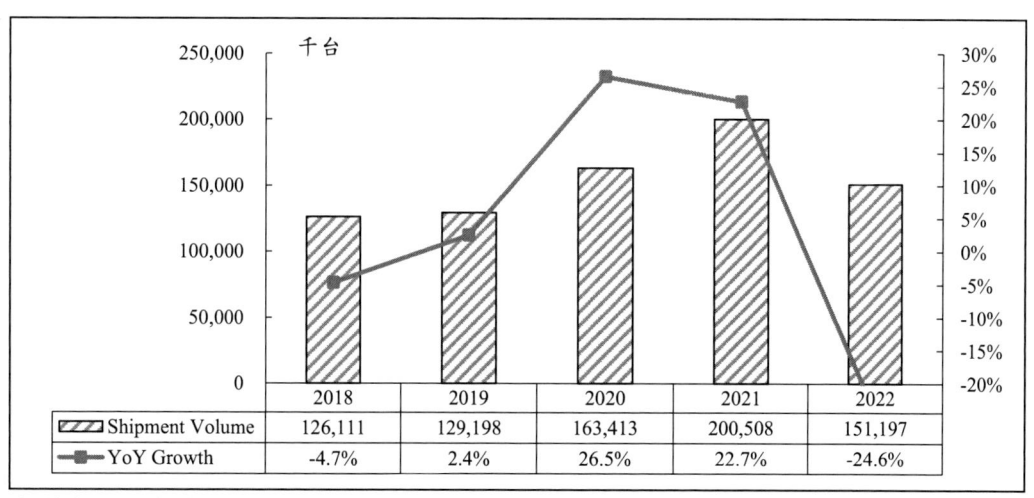

	2018	2019	2020	2021	2022
Shipment Volume (千台)	126,111	129,198	163,413	200,508	151,197
YoY Growth	-4.7%	2.4%	26.5%	22.7%	-24.6%

資料來源：資策會MIC經濟部ITIS研究團隊，2023年6月

圖4-6　2018-2022年臺灣筆記型電腦產業總產量

產值方面，雖然2022年臺灣筆電產值受到出貨量下滑影響而同步衰退，不過整體產品代工ASP較2021年有所上漲。主要影響因素有二，首先是在首季面對零組件短缺持續的狀況下，採購零組件的價格仍高，下半年雖面臨市場需求下滑致使部分材料成本有所調降，不過部分調漲IC受到晶圓代工未能降價影響，相關成本的議價空間仍不大。

第二個主要原因則是產品組合的改變。2022年Apple受惠M系列自製晶片成功打入市場，獲得了不小的市場占比，更成為2022年筆電品牌出貨量最不受影響的廠商之一，高單價Apple筆電出貨的大幅成長，讓占Apple筆電生產比重超過九成的臺灣筆電代工產值有所拉升，致使臺灣筆電產值的下滑幅度小於出貨量。

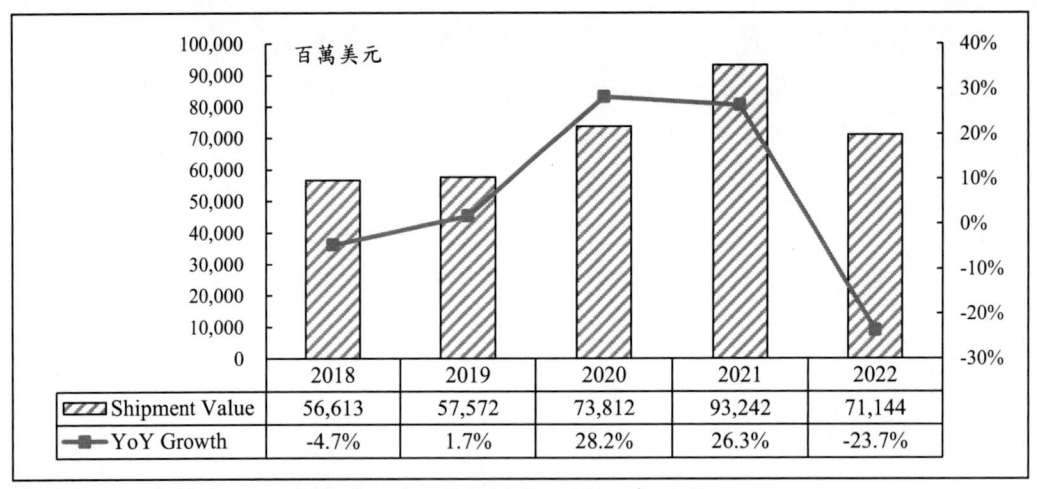

	2018	2019	2020	2021	2022
Shipment Value	56,613	57,572	73,812	93,242	71,144
YoY Growth	-4.7%	1.7%	28.2%	26.3%	-23.7%

資料來源：資策會 MIC 經濟部 ITIS 研究團隊，2023 年 6 月

圖 4-7　2018-2022 年臺灣筆記型電腦產業總產值

（二）業務型態分析

在筆記型電腦產業的業務型態方面，臺灣筆電產業的主力長年來多以代工產業為主，除了少部分擁有生產的工廠如微星、技嘉外，包含 Acer、ASUS 等筆電品牌廠商都是以仰賴其他代工廠生產的業務模式，因此臺灣 OBM 的業務型態占比始終不大，近五年來變動性亦不明顯。

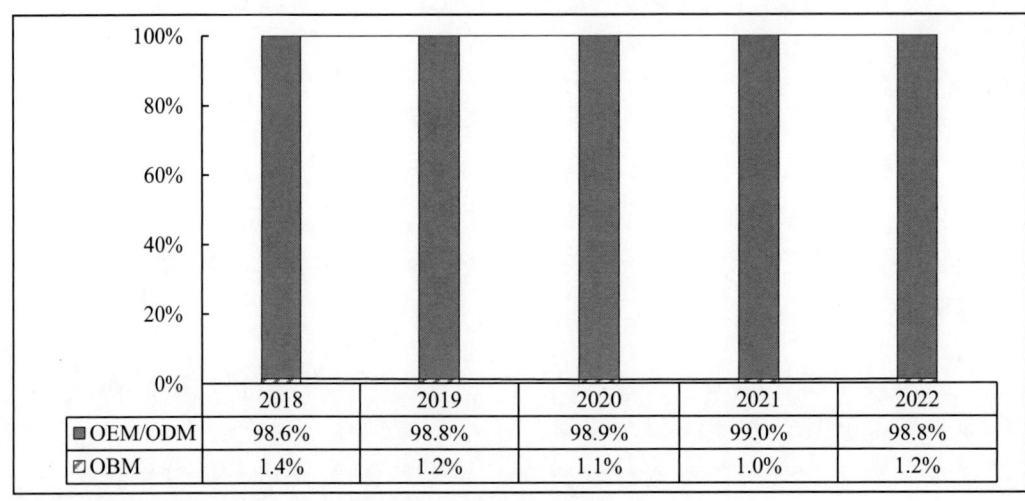

	2018	2019	2020	2021	2022
OEM/ODM	98.6%	98.8%	98.9%	99.0%	98.8%
OBM	1.4%	1.2%	1.1%	1.0%	1.2%

資料來源：資策會 MIC 經濟部 ITIS 研究團隊，2023 年 6 月

圖 4-8　2018-2022 年臺灣筆記型電腦產業業務型態別產量比重

（三）出貨地區分析

　　針對臺灣筆記型電腦的出貨地區，西歐與中國大陸的衰退幅度較為明顯，主要原因除了是因為西歐市場需求大幅衰退，致使出貨該地的筆電數量減少外，西歐及中國大陸市場的出貨龍頭廠商為中國大陸品牌廠聯想，近年聯想在筆電組裝代工比例上逐步增加陸系代工廠及自家工廠的比例，使得臺灣出貨到此兩個區域的占比有所下滑。至於北美市場需求雖也較2022年下滑，但由於美中貿易糾紛關係，輸出北美市場的筆電產品絕大多數將採用臺灣代工廠做生產，也因此輸出比重上並未衰退太多。

　　出貨比重有所成長的地區，則主要集中在中東及中南美洲等其他新興區域市場。近來電競風潮逐漸在新興市場中發酵，藉由遊戲賽事的舉行，使電競玩家開始在更多地區普及化，不僅一般消費者開始投身電競領域，部分地區甚至將電競打造為國家產業，讓遊戲筆電在這些區域的銷售狀況有望越來越佳。

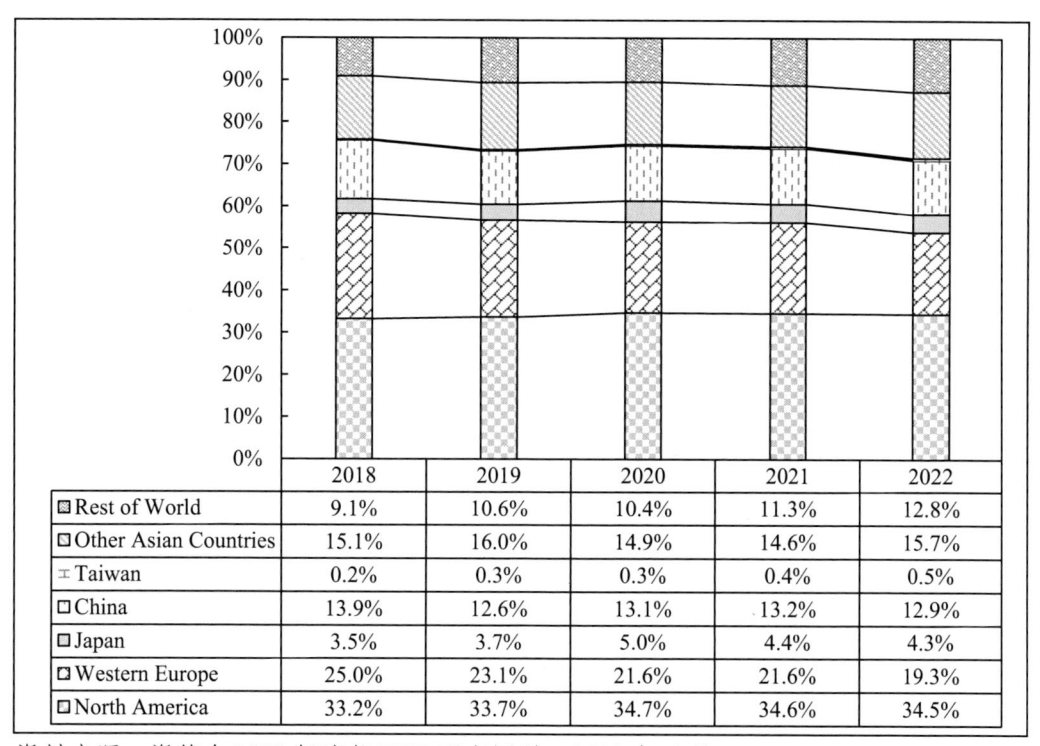

	2018	2019	2020	2021	2022
Rest of World	9.1%	10.6%	10.4%	11.3%	12.8%
Other Asian Countries	15.1%	16.0%	14.9%	14.6%	15.7%
Taiwan	0.2%	0.3%	0.3%	0.4%	0.5%
China	13.9%	12.6%	13.1%	13.2%	12.9%
Japan	3.5%	3.7%	5.0%	4.4%	4.3%
Western Europe	25.0%	23.1%	21.6%	21.6%	19.3%
North America	33.2%	33.7%	34.7%	34.6%	34.5%

資料來源：資策會MIC經濟部ITIS研究團隊，2023年6月

圖4-9　2018-2022年臺灣筆記型電腦產業銷售地區別產量比重

（四）產品結構分析

若從筆電產品的螢幕尺寸搭載來看，2022年全球Chromebook市場規模大幅腰斬，使得2021年受惠教育筆電標案而大幅提升出貨比重的11.6吋面板需求回落。反觀13吋，則受惠搭載M1、M2晶片的MacBook Air出貨量大幅增長，而在2022年獲得了較明顯的比重成長。

此外，近年筆電螢幕的搭載趨勢開始朝向大尺寸別發展，14吋、16吋並搭載16:10長寬比的筆電規格在商務市場獲得不錯的青睞，除了具備較大的視覺效果外，也滿足了多工處理所需的視窗顯示；15吋、17吋的螢幕則以高階電競筆電為主要市場區隔，讓玩家可擁有較大的視覺享受。

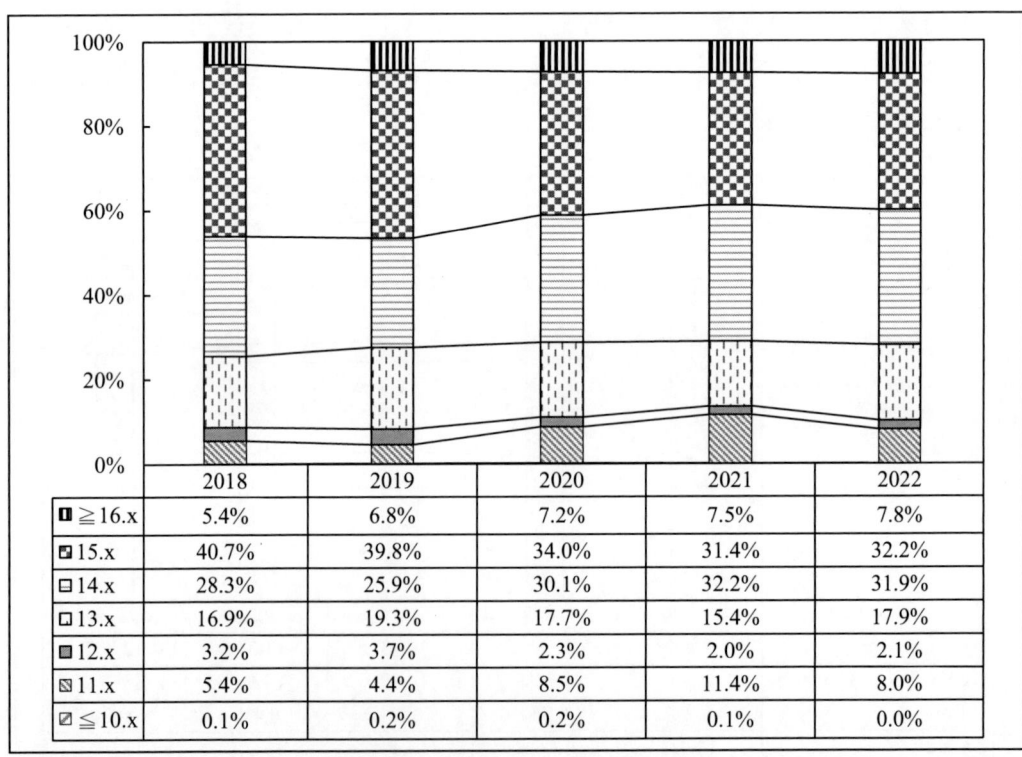

	2018	2019	2020	2021	2022
≧16.x	5.4%	6.8%	7.2%	7.5%	7.8%
15.x	40.7%	39.8%	34.0%	31.4%	32.2%
14.x	28.3%	25.9%	30.1%	32.2%	31.9%
13.x	16.9%	19.3%	17.7%	15.4%	17.9%
12.x	3.2%	3.7%	2.3%	2.0%	2.1%
11.x	5.4%	4.4%	8.5%	11.4%	8.0%
≦10.x	0.1%	0.2%	0.2%	0.1%	0.0%

資料來源：資策會MIC經濟部ITIS研究團隊，2023年6月

圖4-10　2018-2022年臺灣筆記型電腦產業尺寸別產量比重

（五）發展趨勢分析

筆電處理器的競爭在近幾年呈現白熱化的現象，從先前 Intel 及 AMD 兩強相爭的態勢，到後來受惠 Chromebook 需求興起，讓 Arm 架構處理器得以在市場中被更多人看到，再到 2021 年 Apple 的 M 系列晶片正式獲得市場肯定，並形成三國鼎立的市場局面，讓筆電處理器市場競爭越趨激烈。

觀察三大筆電處理器策略可見，為鞏固 CPU 市場地位，Intel 藉由自家 CPU 及 GPU 的架構搭配，讓其處理器及顯卡可發揮更高效用，穩固其在 PC 領域的競爭優勢。CES 2022 展會期間，Intel 正式將混合式架構延伸至筆電產品，推出全新的第十二代 Core 系列筆電處理器 Alder Lake，採用 Intel 7 製程，並結合效能核心（Performance Core, P-Core）與效率核心（Efficient Core, E-Core）的混合式架構，藉由 Thread Director3 進行智慧工作負載的優先權調配，改善系統的單執行緒與多執行緒的應用效能。同時，也將以 Xe HPG 架構打造的 Alchemist GPU 正式於 CES 2022 展會上亮相，並以「Arc」作為品牌命名，主要針對桌機及筆電市場中遊戲效能需求與內容創作者工作負載設計。

AMD 則在鞏固遊戲市場之餘也搶攻商用需求，除了持續鎖定效能提升，鞏固遊戲市場，更藉由與軟體及硬體架構的採用及更新，期望為筆電帶來更輕薄、更省電、續航力更高的使用體驗。2022 年推出的 Ryzen 6000 處理器，除採用台積電 6 奈米先進製程進行生產，更採用更新的 Zen3+架構，並在該款筆電處理器內建 RDNA2 GPU，讓 Ryzen 6000 處理器成為目前市面上唯一具備硬體光線追蹤的筆電 APU 架構。

至於 Apple 則在 2022 年 5 月推出搭載 M2 晶片的 MacBook Air 及 MacBook Pro，強調透過晶片的重新設計，可讓筆電整機更為輕薄快速，同時 M2 系列晶片也在影音工作流程上進行優化，加入新一代 ProRes 影片引擎，加速影片的編解碼效能，同時可提供更高畫質的螢幕顯示。M 系列晶片的持續優化，讓 MacBook 獲得市場的青睞，也使得筆電搭載 Arm 架構處理器的占比於 2022 年持續提升。

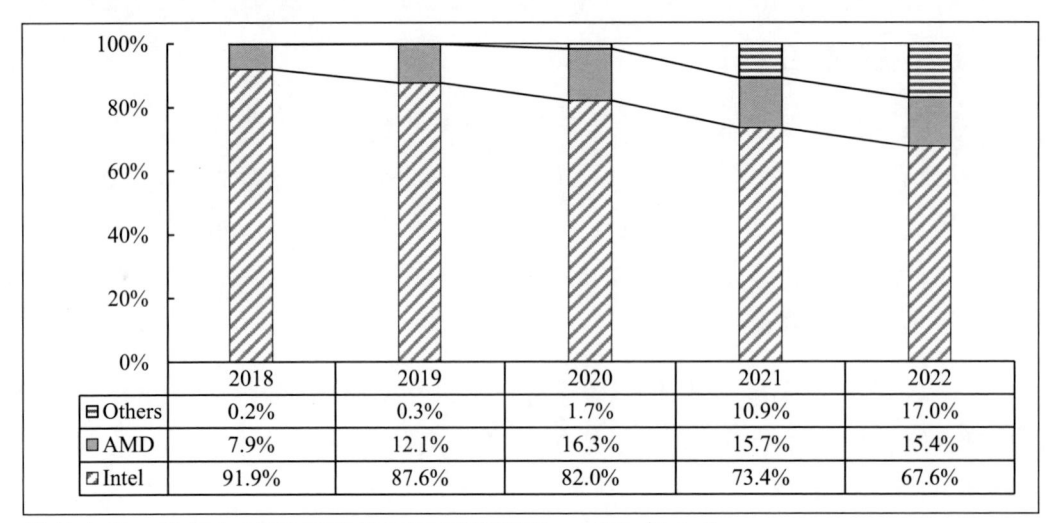

	2018	2019	2020	2021	2022
Others	0.2%	0.3%	1.7%	10.9%	17.0%
AMD	7.9%	12.1%	16.3%	15.7%	15.4%
Intel	91.9%	87.6%	82.0%	73.4%	67.6%

資料來源：資策會 MIC 經濟部 ITIS 研究團隊，2023 年 6 月

圖 4-11　2018-2022 年臺灣筆記型電腦產業產品平台型態

三、臺灣伺服器產業狀況與發展趨勢分析

（一）產量與產值分析

　　2022 年臺灣伺服器代工業務依照組裝的完整程度，可以分為主機板型態（Motherboard）、Level 6 的準系統型態（Barebone）、Level 10 的全系統型態（Full System）。探究其定義，Level 10 全系統型態為：準系統安裝三大件（CPU、Memory、Storage），可直接開機之伺服器產品；Level 6 準系統型態為將主機板與其它小板、機殼、電源供應器、風扇、光碟機等配備組裝，尚未安裝三大件（CPU、Memory、Storage）；主機板型態指印刷電路板（PCB）完成表面貼焊零件（Surface Mount Technology, SMT）後的 PCB Assembley（PCBA），並尚未進行機殼組裝。

　　檢視臺灣廠商伺服器出貨型態，2022 年臺灣伺服器主機板出貨占比為 52.8%，全系統及準系統出貨占比則為 47.2%。主機板出貨以伺服器品牌商為主，將主機板提供給伺服器品牌商，其再透過自有的或於在地市場端進行合作的組裝廠打造成全系統。而當前全系統與準系統的出貨占比正在持續提升，主因在於當前我國伺服器業者與雲端服務商透過直接代工（ODM Direct）的方式合作，除了提供主機

板給廠商進行組裝之外，打造全系統及準系統、乃至於透過整機櫃的方式出貨推升占比。

以伺服器主機板出貨而言，相較 2021 年上升 6.5%，達 5,957 千片；以全系統及準系統出貨而言，較 2021 年上升 11.2%，達 5,332 千台。2022 年受到雲端服務商需求的帶動，全系統與準系統的出貨上升幅度高於伺服器主機板。

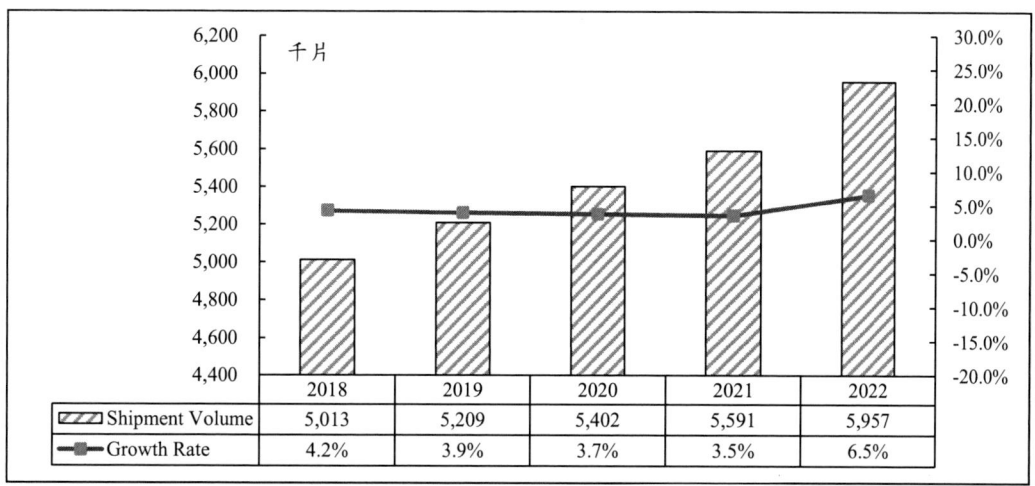

	2018	2019	2020	2021	2022
Shipment Volume (千片)	5,013	5,209	5,402	5,591	5,957
Growth Rate	4.2%	3.9%	3.7%	3.5%	6.5%

資料來源：資策會 MIC 經濟部 ITIS 研究團隊，2023 年 6 月

圖 4-12　2018-2022 年臺灣伺服器主機板產業總產量

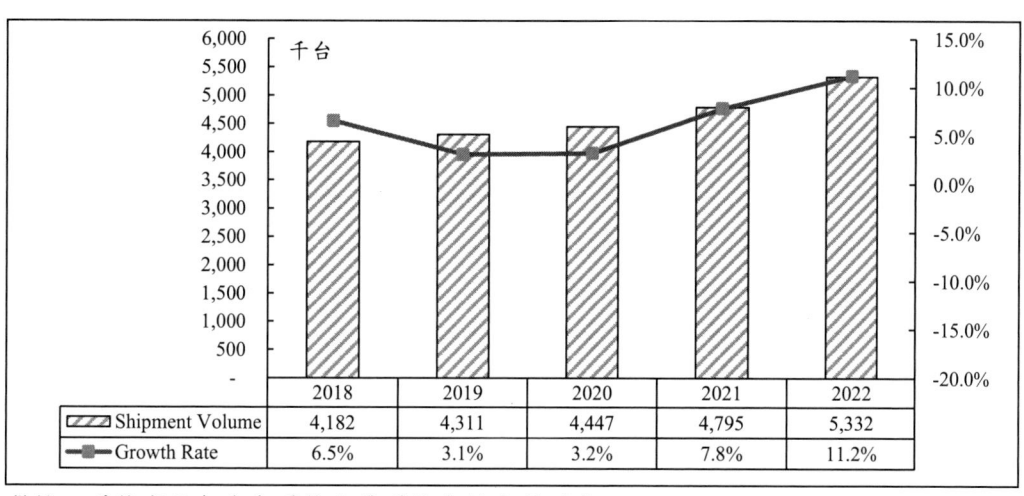

	2018	2019	2020	2021	2022
Shipment Volume (千台)	4,182	4,311	4,447	4,795	5,332
Growth Rate	6.5%	3.1%	3.2%	7.8%	11.2%

備註：系統產品包含全系統和準系統產品出貨形式
資料來源：資策會 MIC 經濟部 ITIS 研究團隊，2023 年 6 月

圖 4-13　2018-2022 年臺灣伺服器系統產業總產量

檢視臺灣伺服器產值狀態，2022年在全球伺服器市場的帶動下，伺服器在出貨上升的情況下整體產值亦有所提升，然而相較2021年因為IC缺料、塞港問題有所緩減，平均單價略微下滑至2,571百萬美元，產值方面上升9.2%，達到13,711百萬美元。另一方面，主機板產值從2021年的1,964百萬美元提升至2,172百萬美元，合計2022年臺灣伺服器產值約15,883百萬美元，相比2021年成長9.4%，主因在於2022年雲端服務商積極興建資料中心帶動伺服器需求，因出貨量迅速提升使總產值整體提升。雲端服務商對於高階伺服器、AI伺服器的採購，亦對整體產值有所助益。

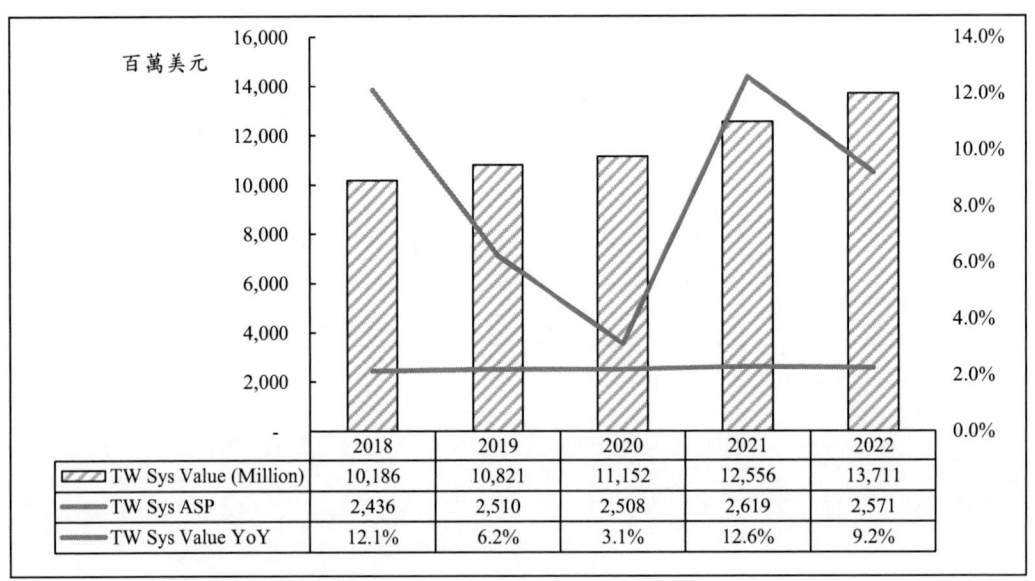

	2018	2019	2020	2021	2022
TW Sys Value (Million)	10,186	10,821	11,152	12,556	13,711
TW Sys ASP	2,436	2,510	2,508	2,619	2,571
TW Sys Value YoY	12.1%	6.2%	3.1%	12.6%	9.2%

備註：系統產品包含全系統和準系統產品出貨形式
資料來源：資策會MIC 經濟部ITIS研究團隊，2023年6月

圖4-14　2018-2022年臺灣伺服器系統產值與平均出貨價格

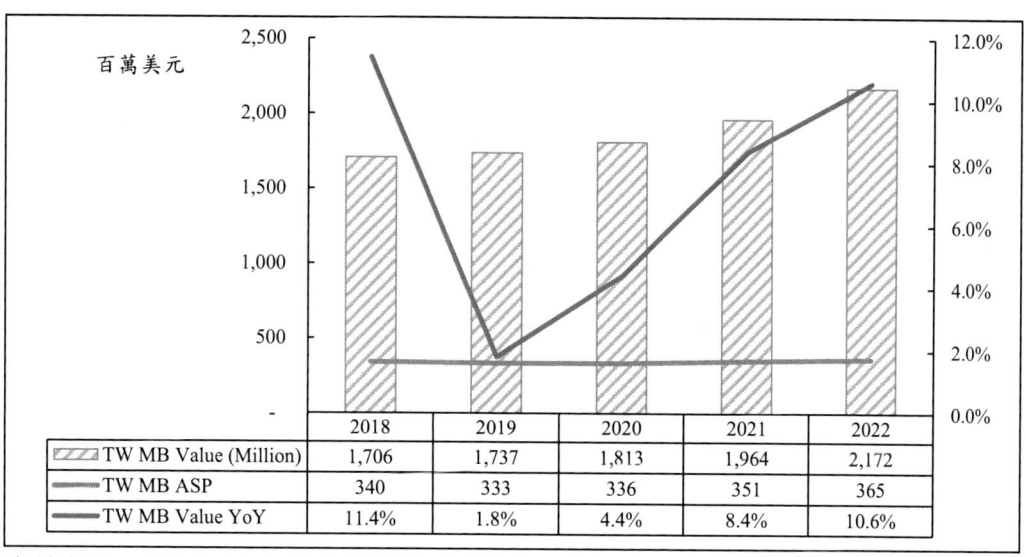

	2018	2019	2020	2021	2022
TW MB Value (Million)	1,706	1,737	1,813	1,964	2,172
TW MB ASP	340	333	336	351	365
TW MB Value YoY	11.4%	1.8%	4.4%	8.4%	10.6%

資料來源：資策會 MIC 經濟部 ITIS 研究團隊，2023 年 6 月

圖 4-15　2018-2022 年臺灣伺服器主機板產值與平均出貨價格

（二）業務型態分析

　　檢視臺灣伺服器業務型態，臺灣伺服器產業依據客戶族群，可概分為兩大類型，一為協助國際品牌大廠代工的業者，例如 HPE、Dell Technologies、美超微（Supermicro）、浪潮、聯想、IBM 等，臺灣代工廠主要有鴻海、英業達、緯創、廣達和神達；另一種則與雲端服務商（CSP）、資料中心託管商及電信商合作生產專屬客製化伺服器，透過白牌或自有品牌模式出貨給資料中心相關業者，例如 AWS、Microsoft、Google、Meta 等，臺灣代工廠主要有鴻海、雲達、緯穎和泰安等。

　　2022 年臺灣白牌與自有品牌比率持續上升，由 2021 年的 35%，上升至 2022 年的 38.4%。顯示出臺灣伺服器產業由過去以伺服器品牌商代工為重的型態，逐步朝與雲端服務商合作提供白牌伺服器產品，或是透過自有品牌的方式提供給企業級／中小型的客戶。在開源運算計畫（Open Compute Project, OCP）的持續運行下，臺灣伺服器業者可以藉由當中公開的伺服器架構，研發自身的伺服器產品或是提供雲端服務商符合其需求的伺服器。

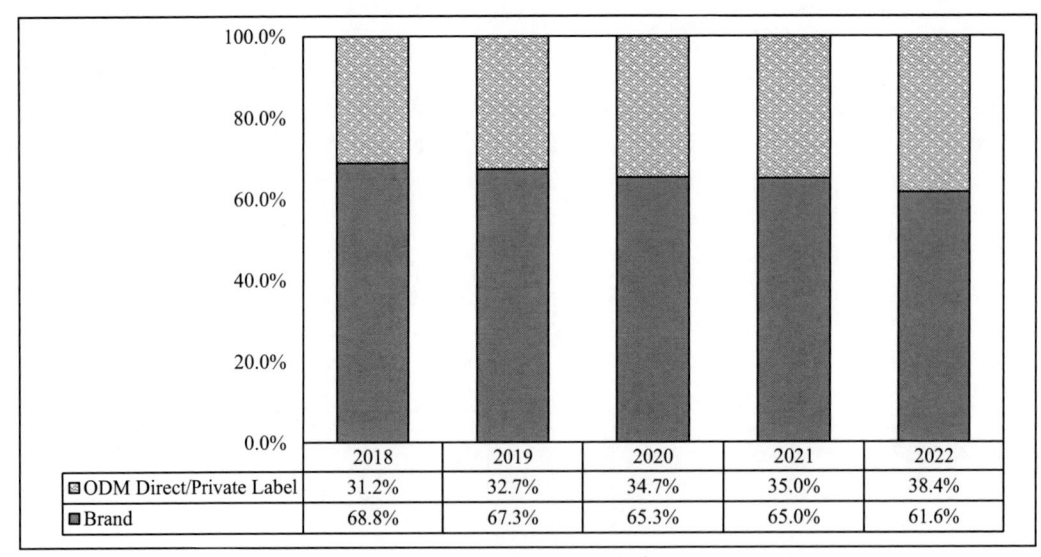

	2018	2019	2020	2021	2022
ODM Direct/Private Label	31.2%	32.7%	34.7%	35.0%	38.4%
Brand	68.8%	67.3%	65.3%	65.0%	61.6%

資料來源：資策會 MIC 經濟部 ITIS 研究團隊，2023 年 6 月

圖 4-16　2018-2022 年臺灣伺服器系統產業業務型態別比重

（三）出貨地區分析

檢視臺灣伺服器出貨地區型態，過去由於產品型態特點的關係，伺服器的製造生產流程大多是由中國大陸製造生產主機板或準系統。2022 年美國推出晶片法案、高效能運算晶片限制措施，影響到伺服器產業鏈在中國大陸生產的模式。當中以美系客戶為首，要求我國伺服器業者將伺服器移至非中國大陸地區進行生產。當前我國伺服器代工業者透過分拆產線的方式，將美系與中系客戶產線進行區分，面向中系客戶的產線持續留在中國大陸進行生產，面向美系客戶的產線則移回臺灣、或移至東南亞等地進行生產。

觀察各出貨地區狀況，2022 年美國出貨比重從 2021 年的 34.4%提升至 36.3%，北美仍為最重要的出貨地區，包含準系統與全系統均會出貨至北美，藉此來滿足雲端服務商的需求。中國大陸 2022 年出貨比重從 2021 年的 15.9%下降至 14.2%。中國大陸受到美國貿易戰的限制，開始推動伺服器國產化政策，希望逐步將伺服器從處理器、零組件等均由中國大陸廠商進行製造。儘管面對中國大陸的訂單仍為部分業者的重點，當前包含浪潮、聯想等伺服器品牌商，正在逐漸

增加自行生產比重。其他更本土化的企業如聯想、寶德、中科曙光等企業的伺服器占比亦在上升。

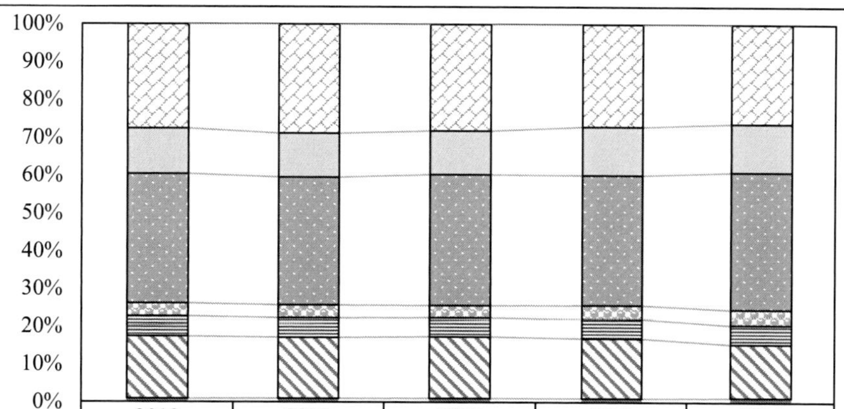

	2018	2019	2020	2021	2022
Rest of World	27.6%	28.8%	28.1%	27.0%	26.2%
Western Europe	12.1%	11.7%	11.7%	12.9%	12.9%
United States	34.2%	33.9%	34.6%	34.4%	36.3%
Rest of Asia Pacific	3.4%	3.3%	3.2%	3.6%	4.1%
Japan	5.4%	5.2%	5.1%	5.1%	5.0%
China	16.4%	16.1%	16.3%	15.9%	14.2%
Taiwan	0.9%	1.0%	1.0%	1.0%	1.2%

備註：系統產品包含全系統和準系統產品出貨形式
資料來源：資策會 MIC 經濟部 ITIS 研究團隊，2023 年 6 月

圖 4-17　2018-2022 年臺灣伺服器系統產業銷售區域比重

（四）產品結構分析

檢視臺灣伺服器產品結構型態，2022 年仍以 2U 與 1U 機架式（Rack）為主流，然而當前機架式伺服器的規格更加多元，包含多節點（Multi-node）、超融合伺服器及模組化伺服器等，均可以機架的方式進行提供。塔式伺服器應其與桌上型電腦主機型態相近的特性，過去企業級用戶較多進行導入。然而企業所需的算力增加的情形下，企業會設立專門的機房，較節省空間並可透過機櫃進行垂直擺放的機架式伺服器，逐漸成為主流。

觀察 2022 年至 2023 年臺灣伺服器系統產業外觀形式出貨占比，塔式伺服器比重從 5.2%下滑至 4.6%；2U 市場占有率幾乎持平，由 36.2%上升至 36.3%；1U 市場占有率從 32.5%上升至 33.5%。機架式

1U 及 2U 伺服器仍為當前的主流，搭載 GPU、FPGA、ASIC 等 AI 加速晶片的伺服器，亦會透過機架式的方式提供，包含 1U、2U 及其他高度均有相應的產品。

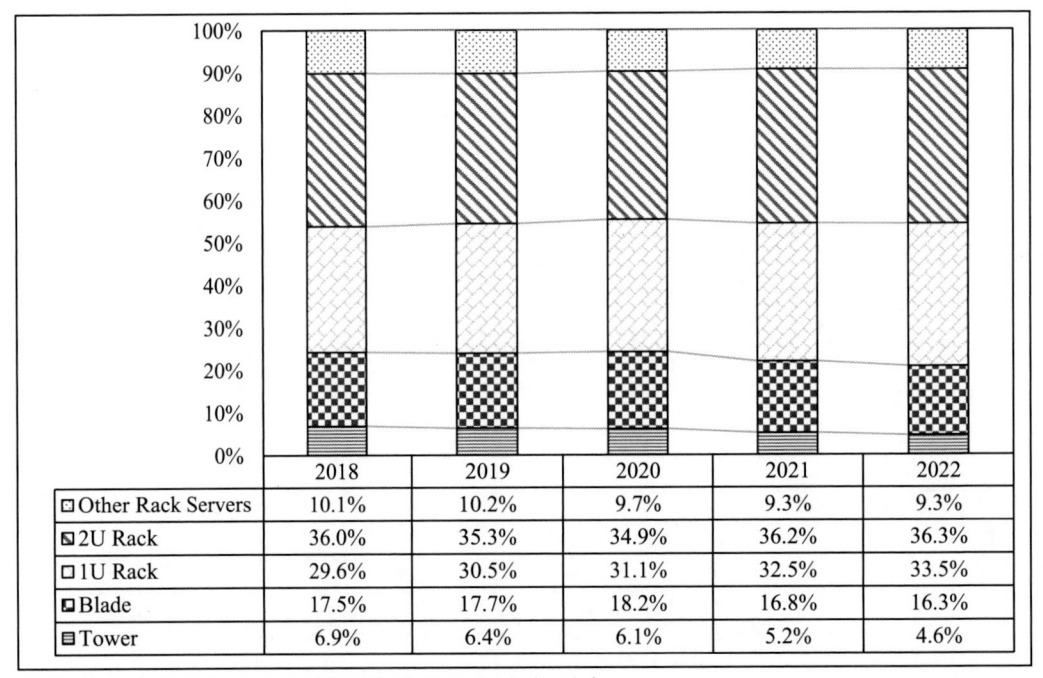

	2018	2019	2020	2021	2022
Other Rack Servers	10.1%	10.2%	9.7%	9.3%	9.3%
2U Rack	36.0%	35.3%	34.9%	36.2%	36.3%
1U Rack	29.6%	30.5%	31.1%	32.5%	33.5%
Blade	17.5%	17.7%	18.2%	16.8%	16.3%
Tower	6.9%	6.4%	6.1%	5.2%	4.6%

備註：系統產品包含全系統和準系統產品出貨形式
資料來源：資策會 MIC 經濟部 ITIS 研究團隊，2023 年 6 月

圖 4-18　2018-2022 年臺灣伺服器系統產業外觀形式出貨分析

（五）發展趨勢分析

　　2022 年臺灣伺服器產業的發展趨勢，在美系客戶方面，Amazon、Microsoft、Google 及 Meta 等美系雲端服務商仍維持在全球建造資料中心的步調，定期釋出資料中心新的設置地點與服務推出區域，因此成為伺服器的重要採購者。中系客戶方面，中國大陸在 2022 上半年因為實施 COVID-19 動態清零政策，執行疫情封控措施，導致伺服器產能遞延至 2022 下半年。此外，百度、阿里巴巴、騰訊等中系雲端服務商，受到當地經濟及政策因素的影響，2022 年在雲端服務及資料中心之發展態勢趨緩，惟字節跳動仍維持成長的動能。

我國伺服器代工業者在供給端面臨不定期封控、政策調整的風險，需求端則須符合美系客戶對資安的要求，加速將產線移出中國大陸，遷回臺灣或移至東南亞、中南美洲等地，藉此增強供應鏈韌性。

四、臺灣主機板產業現況與發展趨勢分析

（一）產量與產值分析

2022年臺灣主機板產量僅達67,570千片，年衰退率為13.5%。受到全球俄烏戰爭影響歐洲市場需求，除了華碩、技嘉、微星等主機板品牌廠商直接禁止出口至俄羅斯市場外，連HP、Dell等系統產品品牌廠商也對俄羅斯實施銷售禁令，甚至因戰爭引發高能源價格及高物價通膨，讓整個歐洲市場的銷售狀況下滑。至於美國市場部分，疫情狀況雖然趨緩，但通膨高漲導致的消費不振，卻也影響主機板在美國市場的銷售表現。歐美市場的銷售表現不佳，讓整體出貨向下滑落。

在中國大陸及其他新興市場表現部分，隨著疫情紅利消退、挖礦風潮停滯，PC DIY通路市場出現一波二手礦卡（挖礦專用的顯示卡），價格低廉的產品也擾亂純主機板廠商的出貨量，甚至使得主機板品牌廠商在高階、電競等產品機種的銷售，連帶受到影響，不僅產品出貨下滑，連產業產值都呈現衰退。

至於系統層級的出貨狀況，則是受到品牌廠商持續出清庫存壓力影響，雖然也會搭配處理器廠商的新品上市，但出貨狀況占整體銷售比重不高，對產品平均價格的提升也相對不若過往。

臺灣一線主機板大廠包含鴻海、緯創等桌上型電腦代工業者，訂單來源為HP、Dell、聯想等國際品牌大廠，主機板出貨量隨桌上型電腦需求波動；主機板自有品牌大廠則包含華碩、技嘉（GIGABYTE）、華擎（ASRock）及微星等，主要關注重點在電競及PC DIY使用者，近年持續提高高階主機板的比重以提高毛利。2022年雖然已經不受缺料問題所苦，但由於會採購較高單價的歐美市場，出貨表現相對不理想，影響高階機種的出貨狀況。

產值方面，2022 年臺灣主機板產值約 3,741 百萬美元，年衰退率約 14.5%。觀察衰退原因為除了出貨量的衰減之外，在高階產品出貨部分受到 PC DIY 族群消費力道的縮減，加上二手顯示卡的流竄，影響正常通路市場的銷售，使得 2022 年臺灣主機板 ASP 低於 2021 年。

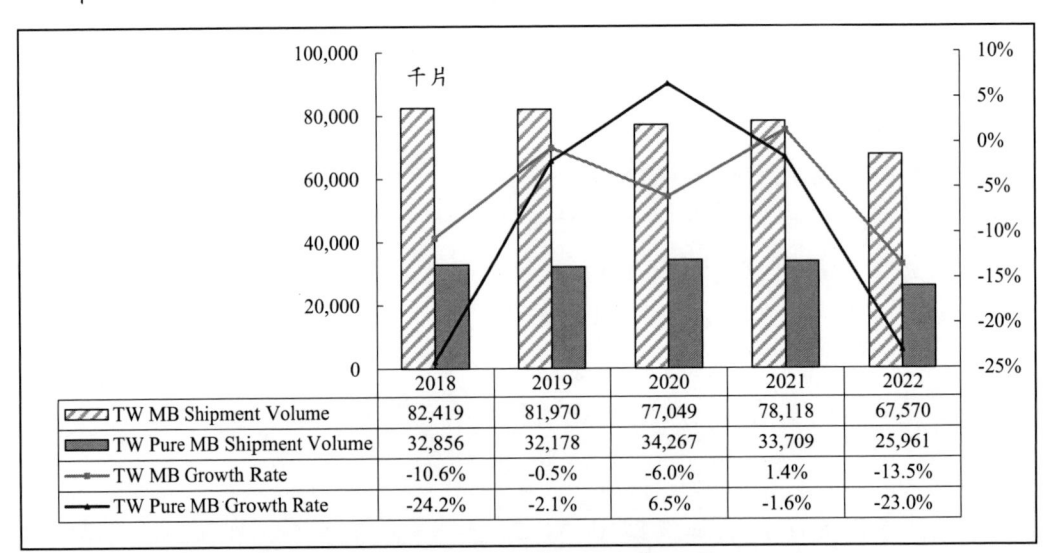

	2018	2019	2020	2021	2022
TW MB Shipment Volume	82,419	81,970	77,049	78,118	67,570
TW Pure MB Shipment Volume	32,856	32,178	34,267	33,709	25,961
TW MB Growth Rate	-10.6%	-0.5%	-6.0%	1.4%	-13.5%
TW Pure MB Growth Rate	-24.2%	-2.1%	6.5%	-1.6%	-23.0%

資料來源：資策會 MIC 經濟部 ITIS 研究團隊，2023 年 6 月

圖 4-19　2018-2022 年臺灣主機板產業總產量

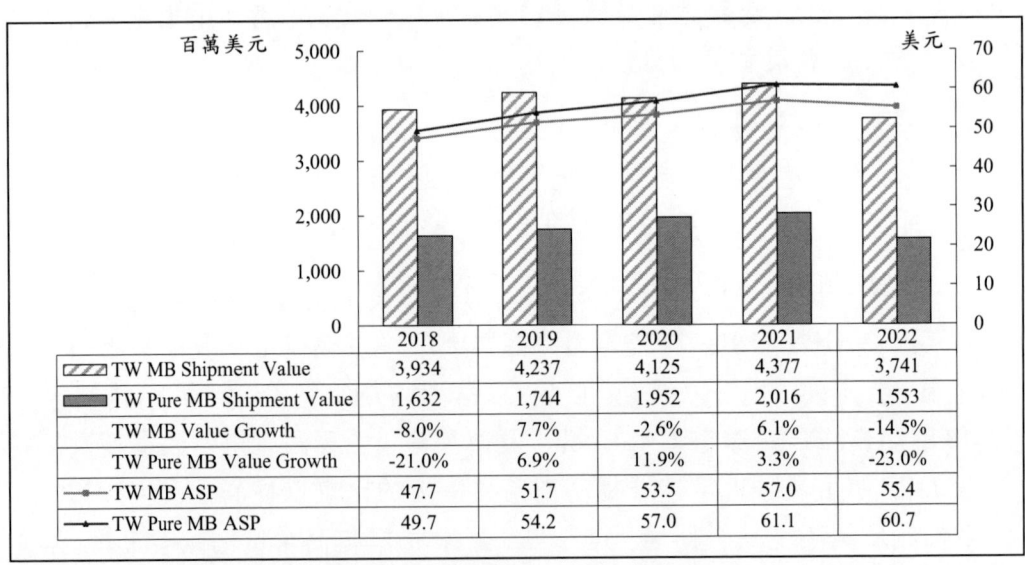

	2018	2019	2020	2021	2022
TW MB Shipment Value	3,934	4,237	4,125	4,377	3,741
TW Pure MB Shipment Value	1,632	1,744	1,952	2,016	1,553
TW MB Value Growth	-8.0%	7.7%	-2.6%	6.1%	-14.5%
TW Pure MB Value Growth	-21.0%	6.9%	11.9%	3.3%	-23.0%
TW MB ASP	47.7	51.7	53.5	57.0	55.4
TW Pure MB ASP	49.7	54.2	57.0	61.1	60.7

資料來源：資策會 MIC 經濟部 ITIS 研究團隊，2023 年 6 月

圖 4-20　2018-2022 年臺灣主機板產業產值與平均出貨價格

第四章 臺灣資訊硬體產業個論

（二）業務型態分析

針對本身具備產能之臺灣主機板業者進行統計，OEM/ODM 為最主要的業務型態，2022 年比重達 73.6%，較 2021 年再度回升。2022 年受到挖礦風潮不再，加上 CPU 等零組件廠商及系統產品品牌廠商積極出清庫存，新品效益衰減，純主機板出貨狀況不甚理想，OBM 比重回跌至來到 26.4%。

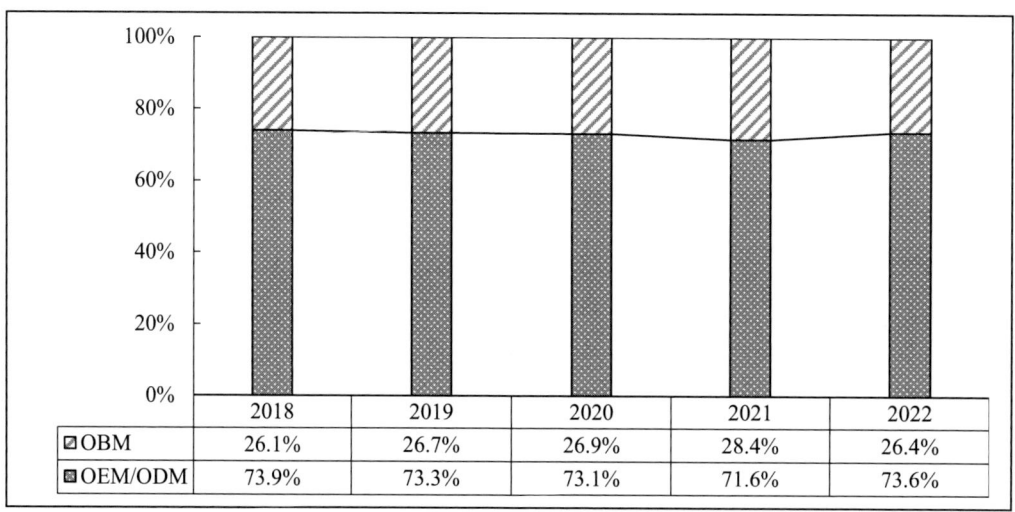

	2018	2019	2020	2021	2022
OBM	26.1%	26.7%	26.9%	28.4%	26.4%
OEM/ODM	73.9%	73.3%	73.1%	71.6%	73.6%

資料來源：資策會 MIC 經濟部 ITIS 研究團隊，2023 年 6 月

圖 4-21　2018-2022 年臺灣主機板產業業務型態

（三）出貨地區分析

中國大陸為臺灣主機板業者最主要出貨地區，2022 年占比為 30.5%，相較 2021 年表現微幅衰退。由於疫情封控措施影響，導致中國大陸民眾的消費力道轉趨保守，加上中國大陸官方對於挖礦風潮的強力管制，也影響終端市場採購新品的需求。亞太地區為第二大的出貨占比，出貨來到 23.2%，主因為東南亞是近年電競市場發展最快的地區，消費者為節省花費可能選擇 DIY 桌機，帶動主機板市場的需求成長。至於北美地區與西歐地區，傳統為臺灣主機板產業主要出貨地點，但近年來的出貨比重也越來越低，在 2022 年又受到高通膨與俄烏戰爭的影響，出貨占比出現下滑。

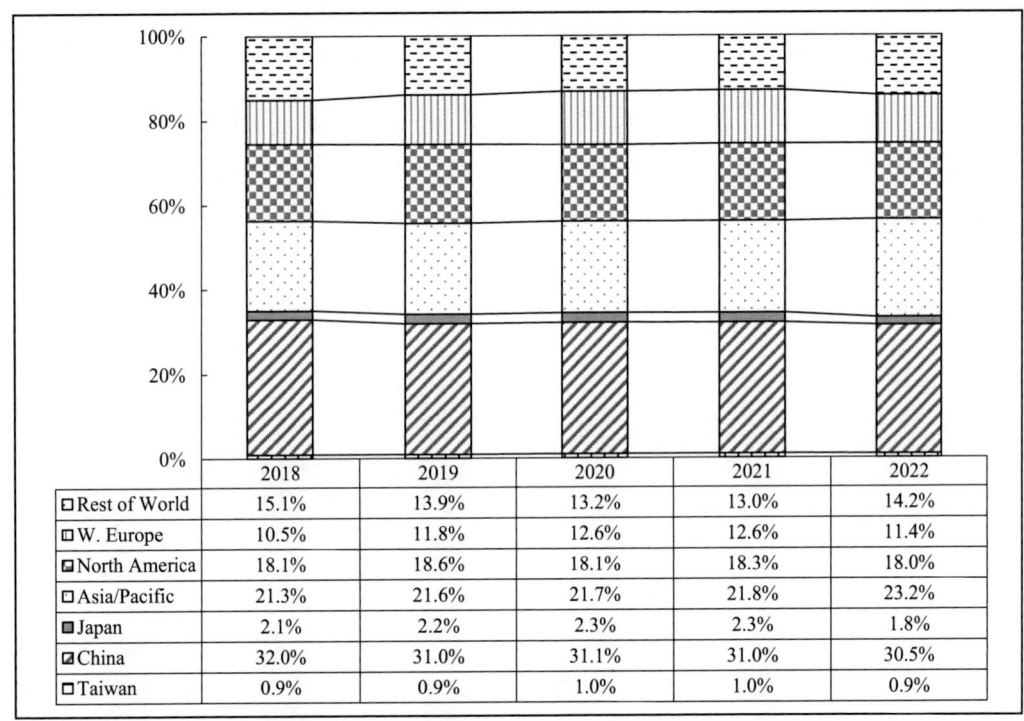

	2018	2019	2020	2021	2022
Rest of World	15.1%	13.9%	13.2%	13.0%	14.2%
W. Europe	10.5%	11.8%	12.6%	12.6%	11.4%
North America	18.1%	18.6%	18.1%	18.3%	18.0%
Asia/Pacific	21.3%	21.6%	21.7%	21.8%	23.2%
Japan	2.1%	2.2%	2.3%	2.3%	1.8%
China	32.0%	31.0%	31.1%	31.0%	30.5%
Taiwan	0.9%	0.9%	1.0%	1.0%	0.9%

資料來源：資策會 MIC 經濟部 ITIS 研究團隊，2023 年 6 月

圖 4-22　2018-2022 年臺灣主機板產業出貨地區別產量比重

（四）產品結構分析

2022 年處理器架構方面的變化，主要是系統產品品牌商 Apple 從 2022 年開始大幅度採用 Apple M 系列的處理器，隨著 Apple 捨棄 Intel 處理器，改用 M 系列處理器，使得 Others 的比重從 2021 年的 1.1%，上升至 2022 年的 3.7%。影響所及，在 Intel 與 AMD 的出貨比重，皆呈現下滑，甚至 Intel 的出貨比重，更跌破七成。

雖然 Intel 與 AMD 陸續在 2022 年第四季發表新一代處理器，如 Intel 發表第 13 代 Intel Core 處理器，主機板插槽沿用 LGA1700，支援 DDR4 及 DDR5 記憶體，AMD 發表 Zen 4 架構的 Ryzen 7000 系列處理器，全面支援 DDR5 記憶體。在市場消費需求不振情況下，新款處理器吸引市場買氣有限，無法有效改變市場出貨結構變化。

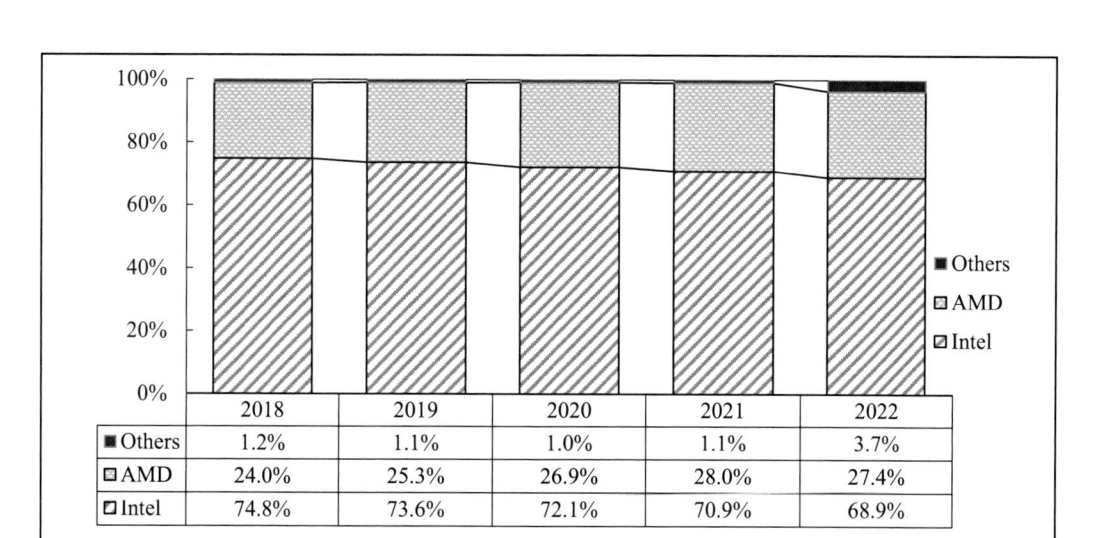

	2018	2019	2020	2021	2022
Others	1.2%	1.1%	1.0%	1.1%	3.7%
AMD	24.0%	25.3%	26.9%	28.0%	27.4%
Intel	74.8%	73.6%	72.1%	70.9%	68.9%

資料來源：資策會 MIC 經濟部 ITIS 研究團隊，2023 年 6 月

圖 4-23　2018-2022 年臺灣主機板產業分析（處理器採用架構）

（五）發展趨勢分析

　　受到疫情期間，不論是商用市場還是消費市場，為了遠距上班與學習，都大幅提高對運算產品的使用狀況。其中又以筆電、Chromebook 及平板電腦為主要採購品項，使得主機板產業雖然也有獲得疫情紅利，但整體產業的出貨規模，仍呈現衰退態勢，僅能透過電競、高階超頻等利基型產品，帶動 PC DIY 市場買氣。為此，主機板業者為改善主機板產業成長不易、產品毛利持續下滑的產業困境，業者也積極布局電競筆電、白牌伺服器代工與工業垂直應用等新興領域，期望運用主機板核心設計優勢，創造新應用區隔。

第五章 ｜ 焦點議題探討

　　本章焦點議題主要探討 2022 年影響資訊硬體產業之重要議題。2022 年發生俄烏戰爭、美中科技戰等重大全球性衝突事件，並持續影響至 2023 年，本章將首先分析其對資訊產業之影響以及後續效應，包括對臺產業衝擊，全球供應鏈中斷、以及晶圓代工、伺服器產業生產版圖變動等影響。此外，RISC-V 的發展和以 ChatGPT 為代表的生成式 AI（Generative AI）應用的普及，也在 2022 年快速崛起，並持續在 2023 年對資訊硬體產業造成影響。

　　本章將針對下列議題進行探討：俄烏戰爭影響資通訊產業情形、美中科技戰對高階產品之出口限制及對全球供應鏈產生之重組影響、RISC-V 趨勢崛起帶來的美中新競爭局面、以及 ChatGPT 及生成式 AI 興起對資訊硬體帶來之機會進行分析，以協助政府與業者掌握未來可能影響資訊硬體產業發展之重要因素。

一、俄烏戰爭對我國資通訊產業影響分析

　　俄烏戰爭自爆發以來，多變的情勢造成全球政治與經濟動盪，並對整體產業環境加諸風險；本章節綜合觀察其中影響產業的重要因子與風險，以分析俄烏戰爭中，對產業而言最具風險及重要性的關鍵要素，以提供企業針對當前局勢擬定策略之參考。

　　俄烏戰爭自 2022 年 2 月 24 日開打至今（2023 年 7 月）仍在僵持當中，我國在 2022 年 2 月 25 日依「瓦聖納協定」加入制裁俄羅斯的行列，對出口俄羅斯的電子、電腦、電信及資訊安全等戰略高科技商品進行管制，而俄羅斯政府隨後於 3 月 7 日發布一份「不友善國家地區」名單，其中亦包含臺灣。

（一）俄羅斯將臺灣列入不友善國家

　　2022 年 3 月 7 日，俄羅斯政府發布一份「不友善國家地區」名單，名單中均為制裁俄羅斯或聲援烏克蘭的國家，臺灣也被列入其

中;這項不友善名單規定,若俄羅斯民眾和企業要與名單內國家進行交易,須經過政府批准,且一律以俄國盧布支付。

我國在 2022 年 2 月 25 日已加入制裁俄羅斯的行列,經濟部部長王美花表示,依照「瓦聖納協定」對出口俄羅斯的戰略高科技商品進行嚴格審查,管制品項包括:核能物質與設施、特殊材料與相關設備、材料加工程序、電子、電腦、電信及資訊安全、感應器與雷射、導航與航空電子、海事、航太與推進系統等,上述制裁最終致使俄烏戰爭推升原物料、能源價格,不僅衝擊到產業鏈,也導致後續全球通膨惡化。

(二)對臺灣資通訊產業的潛在影響

1. 資通訊及半導體產品出口至俄羅斯占比低,受經濟制裁影響有限

由進出口統計資料可以了解,目前臺灣出口至俄羅斯貨品以機器及機械用具為主,至於資通訊產業的產品(如圖 5-1):半導體產品、通訊產品、資訊硬體產品三項出口至俄羅斯的部分,占該產品總出口額比重,分別為 0.02%、0.38%、 0.31%,以上均少於 1%(如表 5-1)。

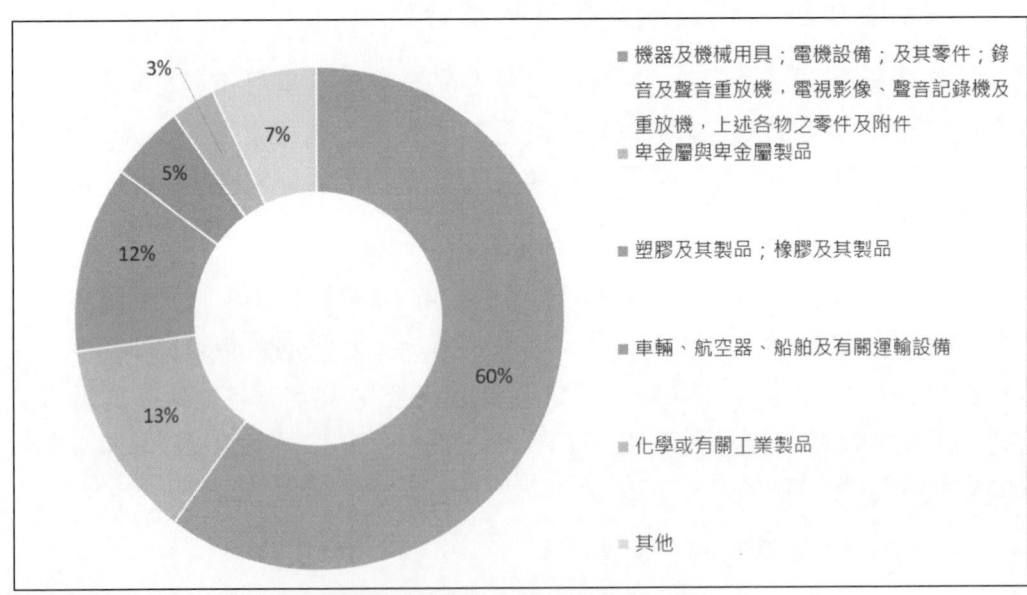

資料來源:資策會 MIC 經濟部 ITIS 研究團隊,2023 年 6 月

圖 5-1　2021 年臺灣出口俄羅斯各項產品占比統計

表 5-1　2019-2021 年臺灣資通訊產品出口俄羅斯占比

年份	半導體 對俄出口額（億美元）	半導體 占半導體總出口比例	通訊產品 對俄出口額（億美元）	通訊產品 占通訊產品總出口比例	資訊硬體 對俄出口額（億美元）	資訊硬體 占資訊硬體總出口比例
2019	0.3	0.03%	0.36	0.38%	0.19	0.35%
2020	0.28	0.02%	0.51	0.48%	0.14	0.20%
2021	0.25	0.02%	0.46	0.38%	0.23	0.31%

資料來源：海關進出口統計資料，資策會 MIC 經濟部 ITIS 研究團隊整理，2023 年 6 月

由此可見，俄羅斯並不在臺灣 IC 設計與晶圓代工業者主要的服務客戶之列，臺灣對俄羅斯出口之半導體元件，占營收比重甚低，對於美國對俄羅斯管制需求，我國廠商配合婉拒相關訂單，對產業並無明顯衝擊。

2. 進口原物料及零組件對俄烏依存度低，暫無斷料危機

從臺灣總體進口俄羅斯的產品統計數據來看，礦產品、卑金屬及其製品化學品三類品項占進口總額的 97.6%（如圖 5-2），再細看這三類品項的進口額，與同品項他國進口額相比，礦產品、卑金屬及其製品均占該品項進口總額的 5% 左右，而自俄羅斯進口的化學品，則占化學品進口總額的 0.5%。可見臺灣對俄羅斯的進口產品依賴度不高（如表 5-2）。

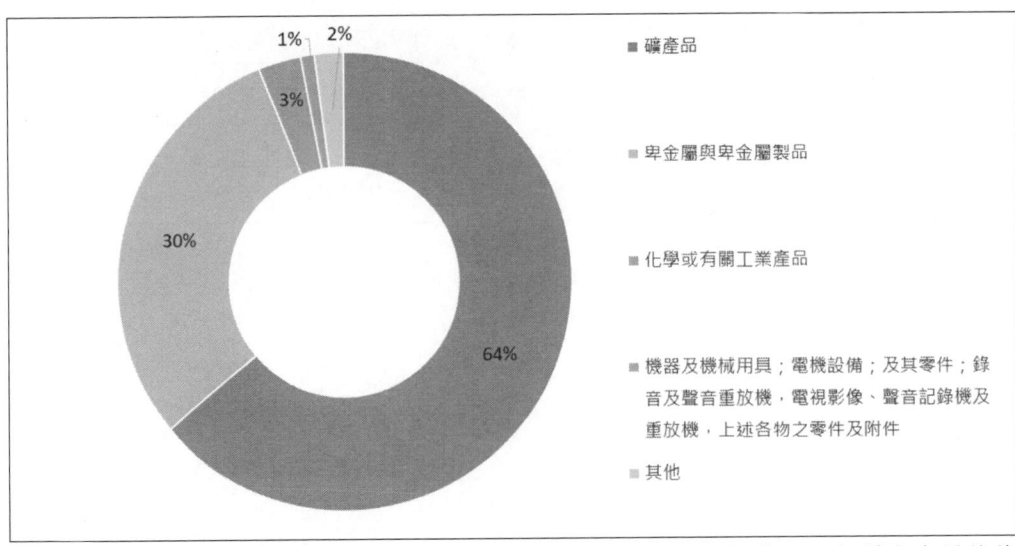

備註：卑金屬為相對於貴重金屬，常見貴金屬有金、鈀、鉑、銀等，而相對貴金屬的其他所有的金屬為卑金屬。
資料來源：海關進出口統計資料，資策會 MIC 經濟部 ITIS 研究團隊整理，2023 年 6 月

圖 5-2　2021 年臺灣進口俄羅斯各項產品占比統計

表 5-2　2022 年 2 月從俄羅斯進口前三大品項之金額與他國進口量比較

排名	礦產品進口量前十名國家 國家	進口量占比	卑金屬及其製品進口量前十名國家 國家	進口量占比	化學品進口量前十名國家 國家	進口量占比
1	澳大利亞	21.57%	日本	19.00%	日本	24.93%
2	沙烏地阿拉伯	12.21%	中國大陸	18.41%	中國大陸	16.48%
3	美國	9.77%	印尼	10.57%	美國	12.11%
4	科威特	7.80%	南韓	7.31%	南韓	9.59%
5	阿拉伯聯合大公國	7.70%	俄羅斯	5.16%	德國	8.35%
6	俄羅斯	5.64%	智利	5.05%	法國	2.83%
7	印尼	4.76%	澳大利亞	4.53%	新加坡	2.68%
8	卡達	4.08%	美國	4.48%	瑞士	2.08%
9	南韓	2.90%	印度	3.69%	沙烏地阿拉伯	1.66%
10	阿曼	2.67%	越南	2.53%	泰國	1.48%
24					俄羅斯	0.50%

資料來源：海關進出口統計資料，資策會 MIC 經濟部 ITIS 研究團隊整理，2023 年 6 月

以半導體產業進口的原物料來看,可能被俄烏戰爭影響到的原物料有鈀金屬、氖氣、六氟丁二烯。在半導體製程上,鈀金屬是封測產業中打線封裝使用的銅線外部防鏽塗層材料,而打線封裝是感測器、記憶體、車用微控制器主要採用的封裝製程。氖氣是半導體曝光機準分子雷射光源所需的重要氣體,六氟丁二烯則是半導體蝕刻製程的重要氣體。

俄羅斯生產的鈀金屬在全球供應占 40%,同時也是六氟丁二烯的主要供應國,而烏克蘭則供應全球氖氣 70%。在俄烏戰爭發生前,上漲已成趨勢,衝突發生後更加速上漲。

作為鈀金屬生產大國的俄羅斯,占全世界鈀供給的四成,與南非相當,俄烏戰爭更加造成鈀金屬供應的不確定性;同時,鈀金屬的供應缺口在俄烏戰爭發生前就存在,至今缺口仍持續擴大中,使得鈀金屬 2022 年來飆漲 60%以上。鈀金屬主要需求來自汽車的觸媒轉換器,雖然在某些觸媒轉化器中可以使用白金代替部分的鈀金屬,但俄羅斯同時是世界第二大白金生產國,占世界產量約 13%。

對臺灣的半導體產業來說,俄烏兩國均非我國鈀金屬的進口來源,因此經濟制裁對於廠商原料取得的影響有限。至於鈀金屬的價格,雖因為戰爭而上漲,國內業者也具備精煉再製之技術能力。並且,鈀金屬方面,銅線並非是唯一打線材料,除採用其他供貨源外,也可透過其他材料替代因應,在國內使用鈀金屬的半導體業者比重也不高。因此,對供應鏈和終端產品的價格影響均有限。

烏克蘭雖是氖氣主要供應地,但臺灣進口稀有氣體主要是從卡達、美國、澳洲三國進口,占比超過 90%,而從烏克蘭進口之稀有氣體僅占 2.1%。至於六氟丁二烯,日本和美國供應商占全球市占達 70%以上,且我國亞東氣體及聯華均已在臺灣供應六氟丁二烯。

雖然,業界擔心戰爭會使氖氣及六氟丁二烯供貨不穩,或是價格暴漲使晶圓製造的成本因此提高。但目前來說,晶圓製造大廠庫存均有三個月以上,再加上多重原物料來源,短期內不至於造成供應缺口。再者,氖氣在整個晶圓製造的成本占比不到千分之一,價格雖產生波動,對終端產品的價格影響也有限。

然而另一方面，西方對俄羅斯的制裁，亦帶動中國大陸業者貿易成長。俄羅斯與中國大陸於2023年6月的貿易額升至208億美元，雖然中國大陸官方未公開實際出口品項，但可推測受西方制裁的資訊電子產品與零組件，可能占中國大陸出口俄羅斯的重要部分。

(三)結論與觀點

1. 俄烏戰爭造成全球政經劇烈變動，引發全球性通膨

俄烏戰爭的爆發，對全球政治經濟造成劇變，並為產業環境帶來風險。2022年2月，臺灣依據「瓦聖納協定」加入對俄制裁的行列，限制高科技商品出口。臺灣限制輸出品項包括核能物質、特殊材料、材料加工程序、電子、電腦、電信及資訊安全、感應器與雷射等。隨著俄烏戰爭持續，導致原物料、能源價格及運價上揚，不僅衝擊到產業鏈，更將促使全球通膨惡化。

2. 原料與航運中斷，造成全球供應鏈動盪

俄烏戰爭爆發使美國及歐盟對俄實施嚴厲制裁，全球供應鏈亦無法免於影響，包括半導體晶片供應短缺，惰性氣體供應減少等情況出現。此外，汽車零件供應鏈受阻，俄烏地區工廠被迫關閉，導致汽車零件短缺，也使歐盟汽車業大受影響。此外，俄烏為歐亞貨運主要通道與航道，現因戰爭不定期造成中斷，亦影響工業零組件供應鏈物流穩定性。

上述影響除加速全球產業供應鏈的調整和重構，也暴露出全球化下產業供應鏈的脆弱性，主要經濟體、大型品牌商皆開始增強對供應鏈的控制性和彈性，未來供應鏈的高成本和低效率，持續對全球經濟成長造成不利影響，未來業者宜謹慎因應。

二、美中科技戰對資訊硬體產業影響分析

繼美國發布《晶片與科學法案》意在強化美國半導體製造及研究，以對抗中國大陸崛起，緊接其後拜登政府在2022年8月底發函輝達（NVIDIA）與超微（AMD）禁止其高階AI加速器晶片向中國大陸銷售，

意圖要精準狙擊中國大陸先進 AI 運算發展。本文將評析該事件發展、對中國大陸的科技衝擊及對供應鏈影響，供臺灣相關業者參考。

（一）美中科技戰不停歇、拜登政府持續出招

繼美國國會在 2022 年 7 月底通過《晶片與科學法案》（CHIPS and Science Act 2022），限制半導體技術出口後，緊接著劍指中國大陸的先進運算發展，8 月底美國商務部發函要求輝達（NVIDIA）、超微（AMD）若要向中國大陸（包括香港）與俄羅斯銷售用於伺服器的 AI 晶片，及內含先進晶片的伺服器設備，須向美國政府申請出口許可，以降低美國 AI 晶片被用於中國大陸軍事發展等用途之風險。此舉預期將衝擊中國大陸雲端運算、超級電腦、語音辨識、自動駕駛等先進運算領域之發展。

1. NVIDIA 與 AMD 高階產品列入禁售名單

美國商務部將 NVIDIA 用於人工智慧加速器的頂規產品（A100、H100 兩款晶片），以及 NVIDIA 未來推出性能等同或超過 A100 的其他晶片，列於禁止向中國大陸出口的名單。根據 NVIDIA 在 2022 年 9 月 1 日的公告指出，美國政府給予 A100 晶片半年緩衝期，意即在 2023 年 3 月 1 日前，美國客戶的 A100 晶片訂單可出口至中國大陸，另授權 NVIDIA 的 H100 與 A100 產品訂單在 2023 年 9 月 1 日前可透過香港運送。儘管這項禁令亦適用於俄羅斯，然俄烏戰爭爆發後，NVIDIA 已撤出俄羅斯市場，現階段影響不大。另外，AMD 則收到美國政府要求須停止其高階產品 MI250 晶片出口至中國大陸的要求，舊款 MI100 晶片銷售則不受影響。

但另一方面，在 2023 年初，NVIDIA 亦針對美國的制裁及監管方案，推出出口中國大陸的專用晶片「H800」，晶片數據傳輸率為 H100 的一半，並為阿里巴巴、百度等雲端業者導入使用。然而由於運算效率較低，可能對中國大陸整體 AI 算力造成抑制之影響。

2. 搭載高階晶片的伺服器產品亦在管制名單

此波出口禁令中，美國商務部除針對晶片外，搭載高階晶片的伺服器產品亦在出口管制項目內，如戴爾（Dell Technologies）、慧

與科技（HPE）、美超微（Supermicro）的資料中心伺服器。而NVIDIA於2022年10月上市的新款Hopper架構H100晶片，現有合作夥伴有源訊（Atos）、思科（Cisco）、Dell、富士通（Fujitsu）、HPE、聯想、Supermicro與技嘉等，預估中國大陸會在出口禁令寬限期內加速採購相關產品。

NVIDIA A100、H100及AMD的MI250為當前高效運算設備中的頂規產品，運用於超級電腦、科學研究機構運算設備、企業資料中心等，根據兩家企業所公布的產品數據，新款的NVIDIA H100晶片，運算效能約為A100的6倍、AMD MI250的1.32倍，可提供當前最高效能的AI運算，而H100也將部署於新一代超級電腦如西班牙巴塞隆納超級運算中心（Barcelona Supercomputing Center）、瑞士國家超級運算中心（CSCS），及公有雲服務商 AWS、Google Cloud、Microsoft Azure與Oracle Cloud Infrastructure 的運算設備上。

表5-3　NVIDIA與AMD高階AI加速器基本資料

廠商	型號	台積電製程	架構	電晶體數量（billion）	耗電量（W）	運算效能（TFLOPS）
NVIDIA	A100	7nm	Ampere	54	400	9.7
	H100	4nm	Hopper	80	700	60.0
AMD	M100	7nm	CDNA	25.6	300	11.5
	MI250	6nm	CDNA2	58	500	45.3

資料來源：NVIDIA、AMD，資策會MIC經濟部ITIS研究團隊整理，2023年6月

（二）美國AI晶片禁令意在箝制中國大陸AI算力發展

中國大陸近年來持續在AI研究與專利數量中取得全球領先地位，是目前全球AI發展最快速的地區之一，但中國大陸知名頂尖大學及國家研究機構的AI演算技術，卻都仰賴上述美國廠商的晶片，此舉讓美國備感威脅。美國自2020年對中國大陸採取晶片出口管制後，並未有效阻止中國大陸軍方與研究機構取得高階晶片，為了解決這個問題，美國政府考慮採取更多管制措施。

觀察此次高階 AI 晶片封鎖作法，顯示美國從禁止部分美企供應華為等特定中企，轉變成禁止特定美國製品販售至中國大陸。且美國政府這次挾 GPU 雙雄的高階產品，可進一步封鎖中國大陸可能運用美國研製高階 AI 晶片，發展高效能運算和智慧應用領域相關應用之機會，影響領域涵蓋公有雲運算服務、建置超級電腦，發展自動駕駛系統所需的圖形運算、圖像識別等訓練，以及運用在軍事的戰事訓練系統，分析大量情資等。

美國的高階 AI 晶片出口禁令，在短期內可抑制住中國大陸的 AI 發展速度，拉大與美國的發展距離。中國大陸使用高階運算產品的用戶類別，以物聯網公司、雲端服務商、學術機構及軍方為主。如阿里雲、百度雲、滴滴雲、騰訊雲等雲端服務供應商的大型資料中心，中國大陸具戰略性的研究機構，如中國科學院、清華大學等，皆採購搭載 NVIDIA A100 的相關運算設備。儘管中國大陸目前缺乏相對應的本土替代產品，產品技術成熟度和效能上仍遠遠不及美國大廠，但在此劣勢下，勢必加速中國大陸自研晶片的速度。

另一方面，出口禁令對中國大陸產業上的衝擊，則是影響中國大陸正在布建的「新型運算網絡體系」——東數西算工程（在中國大陸數個重要據點布局資料中心、雲端運算節點等，提供高階運算的國家級算力樞紐），儘管短期在一般層級資料中心可選用較低階的產品，進行替代，但長遠仍將影響中國大陸數位發展戰略，如 AI 大模型、元宇宙、公有雲服務、高效能運算、智慧城市相關應用，以及中國大陸具龐大市場商機的智慧汽車產業等 AI 垂直應用。

（三）對全球供應鏈之影響

1. 影響上游晶片大廠資料中心部門營收

此次出口禁令一出，直接受到影響的是美國晶片大廠 NVIDIA 與 AMD，NVIDIA 估算恐將影響 2022 年第三季約 4 億美元的損失，該數字約占一季資料中心部門營收的 10%，這對 NVIDIA 位於上升趨勢中的資料中心部門營收是一大衝擊，相對於 AI 晶片市占率僅約 10% 的 AMD，其影響相對較為輕微。若美國持續擴大對先

進人工智慧晶片實施出口禁令，在中國大陸本土產品尚未有替代能力之際，將打擊幾乎所有中國大陸科技巨頭。

2. 對臺廠晶片代工影響有限、惟擔憂美國擴大打擊範圍

在限制名單中的 NVIDIA A100、H100，及 AMD 的 MI250 分別採用台積電 7 奈米、4 奈米及 6 奈米製程，受影響的有 GPU 代工的半導體供應鏈、伺服器品牌商、代工廠等。在晶片部分，由於 NVIDIA 和 AMD 不僅是向中國大陸銷售 AI 加速晶片，還包括應用更多的伺服器 GPU、遊戲 GPU 及自駕車晶片等，因此對台積電的影響將是有限的，甚至在緩衝期內台積電可能接到上述高階晶片的急單，可挹注近期營收。最壞的情況是美國擴大晶片出口禁令，禁止範圍擴大至台積電或三星等晶圓代工廠，禁止為中國大陸 IC 設計生產製造相關的 AI 晶片。

3. 中國大陸國產伺服器比例持續提升、臺廠訂單轉移美系大廠

在伺服器代工部分，臺灣廠商代工比重占全球生產比重超過八成（包含系統層級及主機板層級的產品出貨），臺廠在中國大陸生產伺服器的比例逐漸下降，目前約僅占四成，主要代工訂單內容除為浪潮、聯想等陸系品牌廠商代工外，國際品牌廠商銷往中國大陸市場的伺服器產品，如臺廠為 Dell、HPE 等品牌商代工，也會選擇在中國大陸境內生產。

然受到美中對抗、高階晶片禁令等因素影響，近年來中國大陸積極發展伺服器國產化生產。反觀臺廠則受惠美系雲端服務廠商的訂單增加，提高美系客戶的生產比重，且在相關客戶要求之下調整臺廠全球產能分配，生產基地逐漸遷出中國大陸，轉移至臺灣、墨西哥及東南亞，分散地緣政治帶來的生產風險。因此中國大陸的自行生產（In-house）比例將提升，臺廠則是歐美訂單的比重增加。

（四）結論

1. AI 晶片禁令將打亂中國大陸 AI 算力布局

在高效能運算領域，AI 加速晶片對整體演算功能的提升趨於重要，美國此舉預期將削弱中國大陸科技巨頭公司開發先進技術的能力，以及研究機構的科學發現與技術研發速度。從前瞻科學研究來看，短期影響是是減緩中國大陸科研機構的研發速度；長期將侵蝕頂尖科技人才的培養。產業面來看，雲端運算、自動駕駛、語音辨識市等領域，為中國大陸戮力培植的新興產業，未來若缺乏 AI 加速晶片助力，恐將放慢各 AI 應用場景之發展。

2. 暫緩期內短期臺廠可收急單效益、長期需關注美中動態

出口管制措施受影響最直接的對象為上游晶片設計的美國 NVIDIA、AMD 兩大廠，以及國際伺服器品牌廠商與雲端服務廠商，並間接影響到代工製造的臺廠供應鏈。在晶圓代工部分，於將近一年的 AI 晶片出口禁令暫緩期內，中國大陸需求端如雲端服務商、科學研究機構等可能積極下單囤貨（類似前一波美國針對華為晶片禁售令，華為於期限前也大幅度提高下單量），尤其是針對 NVIDIA 新上市的 H100 晶片，臺廠晶圓代工廠短期可收急單效益。

在伺服器產品代工部分，分析當前廣達、英業達、緯穎等伺服器大廠主要出貨對象雖皆以美系大廠為主，且替美系客戶代工產品組合中，輸往中國大陸的高階產品數量占比不高，影響有限。另一方面，中國大陸伺服器廠商持續提高國產化比例，臺廠將逐漸流失中國大陸伺服器代工客戶訂單。更須關注的是，若美國擴大對中國大陸的半導體產品禁令名單，或是禁止臺灣廠商為中國大陸製造晶片，其影響將擴大。

然而另一方面，雖目前 AI 伺服器占臺廠營收比例低，但產品單價超過傳統伺服器的十倍以上，在微軟、AWS 等雲端大廠積極擴建 AI 資料中心的趨勢下，為臺廠及周邊產業供應鏈帶來的契機亦可持續關注。

三、從美中大廠動態看RISC-V應用發展前景

在美中科技戰如火如荼展開的背景下，開源的 RISC-V 指令集架構也於近年崛起，RISC-V 在 IoT 及嵌入式系統逐漸普及後，美系大廠及新創業者開始朝伺服器、高效運算等領域進行探索；中國大陸政府及廠商則於 PC 及手機應用上有所斬獲，並積極發展國內 RISC-V 生態系，以求在中美半導體對抗格局下突圍，達成晶片自主目標。本文分析 RISC-V 美系大廠及中國大陸業者發展現況以及 RISC-V 在不同終端應用上之發展前景，提供臺灣業者參考。

(一) 美系業者開始探索高階應用

RISC-V 以其低成本（免授權金）、低功耗（指令集長度統一，解碼更快速）、小面積（新指令集無須支援陳舊的指令，較少歷史包袱）、以及高設計彈性等優勢，逐漸吸引國際大廠與新創業者導入使用。根據 RISC-V 國際聯盟（RISC-V International）2022 年 12 月公布數據，2025 年前 RISC-V 預計將有115%的複合年均成長率，市場規模達 86 億美元。反應在不同應用市場的採用比重，在 2025 年約有 28%的 IoT 晶片市占率、12%的工業用晶片市占率、10%的車用晶片市占率，總計 14%的處理器市占率

以往 RISC-V 架構的應用多用於較小型 IoT 及嵌入式系統，然而近年在 RISC-V 指令集向量（Vector）、張量（Tensor）運算、以及小晶片運算架構逐漸成熟下，RISC-V 高階應用案例開始逐漸浮現。

1. 新創業者及大廠開始探索 RISC-V 高階應用

首先在新創業者部分，美國太空總署 NASA 於 2022 年 9 月宣布將採用 RISC-V 矽智財（Silicon Intellectual Property, SIP）新創業者－SiFive 的處理器，作為未來高效能航空運算的處理器，並應用於包括導航、通訊、電腦視覺等運算領域，取代原採用 IBM RISC 架構的 PowerPC 系統。而美國 RISC-V 新創公司 esperanto.ai 則研發出全球首款單晶片搭載超過 1,000 顆 RISC-V 晶片的 AI 處理器 ET-SoC-1，以低能耗、高效率特性用於超大規模資料中心部署。新創公司 Ventana Micro Systems 則在 2022 年 12 月宣布推出一系列基

於 RISC-V 架構的資料中心級處理器，晶片包含最多 16 核心，可以與每一集群（Cluster）中最多 12 個其他晶片配對，共有 192 個核心，每個核心的運行頻率高達 3.6GHz。

此外，傳統晶片大廠亦開始加快腳步投資 RISC-V 技術與新創業者，如 Intel 雖於 2021 年收購 SiFive 破局，但於 2022 年 2 月正式加入 RISC-V 社群，並於 9 月以 IFS（Intel Foundry Services）10 億美元的創新基金投入 SiFive，加強 SiFive 的 IP 設計與 Intel 晶圓代工業務之合作關係。而 Arm 的重要客戶，晶片大廠高通（Qualcomm）也宣布其在穿戴裝置、AR/VR、智慧車載晶片上運用的 RISC-V 晶片，已達 6.5 億顆晶片的出貨量，並在 2022 年 12 月的 RISC-V 高峰會上表示將更加積極擁抱 RISC-V 晶片，上述發展皆使 2023 年成為 RISC-V 晶片崛起值得關注的一年。

（二）中國大陸積極發展國內 RISC-V 生態系

2022 年 12 月，Arm 宣布將停止販售先進晶片設計 IP 至中國大陸，包括用於人工智慧、機器學習等高效運算（HPC）的 Neoverse V 系列 IP，伴隨著日前美國對中國大陸的半導體設備技術、人才、以及 EDA 工具的禁運與限制，預期將更進一步地把中國大陸推向 RISC-V 技術自研的發展潮流中。

1. 政策支持補助 RISC-V 研發與銷售

在中美半導體對抗態勢成形前，中國大陸政府對 RISC-V 的推動政策已有布局。如中國大陸於 2019 年推出的《上海市軟件和集成電路產業發展專項資金》，即針對應用於物聯網、工控等低功耗、小型的中低階 RISC-V 晶片應用，以及能進行雙精度浮點運算、頻率高於 1GHz、並能支援主流作業系統（如 Linux）的中高階應用的 RISC-V 研發，分別提供 2,000 萬及 1,000 萬人民幣的研發獎勵。

2022 年 10 月深圳則推出《深圳市關於促進半導體與集成電路產業高質量發展的若干措施》，針對 RISC-V 業者提供 15% 至 20% 的銷售與研發補助，而中國大陸業者亦積極參與開源社群，並在筆電、手機等部分應用領域上取得發展領先地位。觀察整個生態系的

發展,在 RISC-V 矽智財上,有阿里平頭哥(T-Head)、芯來、賽昉等業者,在晶片設計上,則有海思、樂鑫科技、兆易創新、瑞芯微等廠商參與。

2. 主導開源社群到建立軟硬體生態系

由於受到「國產替代」的議題驅使,中國大陸業者對於參與 RISC-V 開源社群的力道積極,至 2022 年 12 月為止,中國大陸企業在 RISC-V International 全球 25 席最高級別會員中占了 11 席,為總席次的 44%;而在主導技術方向與審定的技術促進委員會(Technical Steering Committee)中,則占 27 席中的 13 席。雖然 RISC-V 核心及延伸指令集的發展是由開源社群成員共同議定,但中國大陸業者在技術委員會的角色,亦可能使中國大陸在未來 RISC-V 技術標準方向與進程,擁有更大的主導與話語權。

2022 年 7 月,阿里巴巴旗下業者平頭哥開發出世界第一台基於 RISC-V 晶片的筆電 DC-ROMA。DC-ROMA 搭配四核心的 RISC-V 玄鐵 C910 處理器,頻率達 2.5GHz,並運行阿里巴巴自研的 Linux 系統 AnolisOS,且搭載同為 RISC-V 業者 Imagination 的 GPU。而在 2022 年 10 月,Google 官方首度在 Android 的系統標準 AOSP(Android Open Source Project)納入阿里平頭哥提交的 RISC-V 補丁。目前 Android 平台上的 RISC-V 仍在測試與優化階段,但根據 RISC-V Android 藍圖,最快可能在 Android 14 版本提供商用支援,為 RISC-V 指令集架構在行動裝置、嵌入式系統邁向另一步重大的進展。

3. EDA 與先進製程受阻,離高階 RISC-V 晶片自主仍有距離

然而另一方面,中國大陸雖然已從補助政策、軟硬體整合、社群主導等角度,致力鞏固其 RISC-V 生態系的發展,但面對美中科技對抗的格局,中國大陸業者難以取得晶片生態系最源頭的尖端廠務設備、以及高階 EDA(Electronic Design Automation)設計工具;製程上,中國大陸也因美國技術禁運,而使國內停留在成熟的中低階製程階段,皆使中國大陸企業短時間內在自主發展高效能、低耗能的 RISC-V 高階應用(如應用於 HPC,或 L3、L4 ADAS 車載晶

片）領域上，仍有相當困難需要克服。儘管如此，在美國對中國大陸實施科技封鎖下，中國大陸政府及企業積極以研發、銷售補助方式培植 RISC-V 相關企業，相關的舉措是否可能威脅臺灣晶片產業之優勢地位，值得國內業者密切注意。

（三）RISC-V 於終端應用發展分析

美國及中國大陸業者近年對 RISC-V 在筆電、手機、高階伺服器應用的布局頻繁，雖 RISC-V 生態系發展快速，但在不同的終端應用領域也存在成熟度差異。以下針對 RISC-V 在不同應用終端之發展進行剖析：

1. IoT 與嵌入式應用

IoT 物聯網及嵌入式應用為 RISC-V 成長最快速的領域，其低成本（免授權金）、低功耗、高效率之特性，有利於大量部署於垂直應用場域。由於物聯網、嵌入式工控應用，本就具有依場域需求而差異的高度分歧性及客製化應用特性，RISC-V 目前的標準化進程尚未成熟、生態系仍然破碎等狀況，並不會對物聯網及工控應用發展構成太大阻礙。其次，相較於筆電、資料中心等較仰賴上層軟體系統整合的高端應用，一些僅需要相對簡單的輕量作業系統如 RTOS（Real-Time OS）即可運作，或不需作業系統也可裸機應用（Bare-Metal）的 IoT、嵌入式工控、車載等應用場域，都將是 RISC-V 重點發展的應用領域，並可能對 Arm 生態系帶來較大威脅。

2. PC、智慧型手機與平板

雖然 2022 年阿里平頭哥已推出商用的 RISC-V 筆電 DC-ROMA，並在硬體上達到 2.5GHz，但現階段搭配的作業系統仍需在阿里巴巴的 OpenAnolis 環境中運行，無法支援如 Windows 等主流作業系統，以及其上的軟體應用。由於筆電、桌機等消費性電子產品，要求對軟體應用的普遍性支援、對過往版本的優化、以及相容性與效能問題，而 RISC-V 自身的軟體生態系、軟體移植標準、軟體業者聚落也尚未十分成熟，因此除了在封閉性軟體的特定應用（如軍用、醫療筆電）、或者以雲端服務為主（如 Chromebook 模式）

的應用，RISC-V 晶片架構在泛用型的筆電、桌機等領域的發展潛力及市場機會，尚待觀望。另一方面，Android 在 2022 年 10 月開始正式納入 RISC-V，為 RISC-V 進入行動通訊裝置生態系提供一劑強心針。根據 RISC-V Android SIG 技術藍圖，除可能於 2023 下半年提供開發者 SDK，開始探索軟體支援性外，也將在 2023 年拓展車用、穿戴式裝置、智慧電視等產品應用，可望加速 RISC-V 融入 Android 系統的生態系。

3. 高階伺服器與資料中心

　　Ventana Micro Systems 在 2022 年 RISC-V 高峰會當中，推出一系列基於 RISC-V 架構的資料中心級處理器。因當前伺服器晶片多由處理器大廠所把持，晶片通常需要多年的設計、驗證和測試週期，在 RISC-V 聯盟帶動下有望使循環週期增快。除此之外，Intel、Imagination、阿里平頭哥及臺灣晶心科技等企業，均分別針對資料中心處理器提出基於 RISC-V 的產品，矽智財權大廠 Imagination 推出 Catapult CPU，針對微控制器、嵌入式處理器、高效能應用程式處理器及車用等方面推出 4 大模組；平頭哥推出玄鐵 C908，主要鎖定圖像及影片處理的中端市場；晶心科技則推出 AX60 系列處理器，應用範圍包含先進駕駛輔助系統（ADAS）、AI、AR/VR、資料中心加速器等方面，十分廣泛。

　　在美國晶片禁令的影響下，Arm 未來將無法提供中國大陸企業最高規格的伺服器處理器 IP（Neoverse V1 及 V2），促使中國大陸高階晶片廠商人人自危，當中受到直接影響的企業為阿里平頭哥，其所開發的倚天 710 晶片，僅能使用中高階的 Neoverse N2 的 IP 打造。因此對於中國大陸廠商而言，RISC-V 架構將成為未來幾年研發高階晶片的重要出路。而 Ventana 所研發之晶片證明可以透過 RISC-V 開源架構開發出高階晶片，預期 RISC-V 在高階伺服器、資料中心的應用上，將有機會逐漸邁向成熟。

第五章　焦點議題探討

（四）結論

1. RISC-V 預期為臺灣 IC 產業鏈、IoT 及新創業者帶來契機

RISC-V 由於其 ISA 開源特性，使其基於 RISC-V 晶片及系統上層的軟體商、與其下層的硬體製造、解決方案提供商，皆能雨露均霑。除了國內既有 IC 產業鏈上的業者，能從 RISC-V 的 IP 設計（如晶心、力旺）、IC 設計與 IC 設計服務（如創意電子、凌陽、奇景、群聯）、IC 代工（如台積電、聯電、力積電、旺宏）需求中受惠，在 RISC-V 迅速發展的 IoT、嵌入式領域，國內針對不同垂直領域之業者（如工業 AIoT、倉儲 AMR），亦可在既有對 Arm 體系的支援外，利用 RISC-V 的低成本、高彈性設計優勢，提供特定產業的解決方案。

隨著 RISC-V 在 IoT、智慧車載及工控應用領域逐漸普及，作為上述領域系統整合終端的臺灣工業電腦業者，雖然目前使用之主流晶片仍以 x86 及 Arm 為主，未來亦可能以 RISC-V 晶片達到降低晶片成本、並在能耗、應用彈性上更進一步。而 Arm 也因逐漸感受 RISC-V 的威脅，而開始開放部分指令「客製化」（Customization）、規格微調的設計方案，而其 Flexible Access 平台，則允許開發者在開發階段無償使用 Arm IP，並讓新創企業能用更低成本取得 Arm IP。長遠來看，RISC-V 即使未能立刻取代 Arm 的市場地位，也預計將迫使 Arm 的發展藍圖朝更加開放與彈性的方向前進，並降低中小型、新創業者的應用門檻。

2. 伺服器與資料中心導入 RISC-V 架構仍在起步，然體系逐漸完善

伺服器與資料中心處理器在 CPU 方面當前仍是以 Intel 及 AMD 為主，Arm 架構則因 AWS、Ampere 及 2023 年推出 Grace 的 NVIDIA，市占率正在迅速上升。RISC-V 架構原先主要鎖定於 AIoT、車用等方面，當前逐步朝桌機、筆電及伺服器等領域發展。對於伺服器與資料中心而言，處理器是否能夠與伺服器的軟硬體、作業系統及其他零組件適配，為採用時的一大重點。

當前 RISC-V 的軟硬體生態系仍在發展當中，然而以下幾點原因有望使 RISC-V 體系迅速發展：（1）包含 Intel、Qualcomm 等企業正在大力支持 RISC-V 發展，中國大陸則是因美國禁令的關係，亦會將更多資源投注至 RISC-V 架構；（2）雲端服務商及企業用戶，因為算力異構化、複雜化等原因，在垂直領域對伺服器對客製化需求增加；（3）RISC-V 作為開源架構，將可以讓使用者打造更彈性化的處理器，符合用戶的需求；（4）因為 RISC-V 具有設計彈性，可以和 Intel、AMD 或 Arm 的 CPU 進行搭配使用，作為強化算力的手段。GPU、FPGA、ASIC 等 AI 加速器，也同樣可以基於 RISC-V 架構進行設計。在各方的支援下，RISC-V 的生態系正在逐步完善，因此看好其長期在伺服器與資料中心的發展。

四、生成式AI發展背景與對資訊硬體產業影響分析

自 OpenAI 首席執行長 Sam Altman 於 2022 年在 12 月 1 日在 Twitter 公布超大型 NLP 模型 ChatGPT 並開放用戶免費試用後，從基本問答、翻譯、文字對話、資訊整理與歸納、文本內容生成、文法修正，及程式碼編輯與除錯等功能的卓越表現，使得其公開問世被譽為 AI 技術的重大轉捩點。本節將分析生成式 AI 應用 ChatGPT 之發展背景與脈絡，及其對於雲端伺服器及上游零組件、地端及邊緣伺服器、量子運算等資訊硬體發展之影響。

（一）事件背景

2015 年 OpenAI 由特斯拉執行長 Elon Musk（現已退出董事會）和美國矽谷創投 Y Combinator 前執行長 Sam Altman 共同創立，其組織宗旨是研發通用人工智慧技術造福人類社會。自 2018 年以來，陸續發布 GPT、GPT-2、GPT-3 等超大型 NLP 模型，隨著 AI 技術成熟，也帶動 AI 生成內容（AI Generated Content, AIGC）熱潮。所謂 AIGC 是指由 AI 自動創作內容的新型生產方式，包含文字、圖片、影像、音樂、程式碼和 3D 模型等，與之相對的是專業生產內容（Professional Generated Content, PGC）和使用者生產內容（User Generated Content, UGC）。

AIGC 已出現部分商業化專案，例如：自動撰寫文案的 Jasper、自動生成圖像的 DALL·E 2，以及自動產生郵件內容的 OthersideAI 等，在 AIGC 熱潮推波助瀾下，由 GPT-3 演進而成的 ChatGPT 在推出的短時間內便成功吸引大量用戶與世人目光，而在 2023 年 3 月，OpenAI 更進一步推出更進階的大語言模型 GPT-4，並推出 API 提供開發者進行使用。

（二）事件說明

1. 超大型 NLP 模型 ChatGPT 於 2022 年 12 月初正式問世

OpenAI 首席執行長 Sam Altman 於 2022 年在 12 月 1 日在 Twitter 發布一則貼文，公布新型聊天機器人模型 ChatGPT，開放用戶免費試用，並在短短幾天內就達到百萬用戶註冊。而受到廣大用戶的測試與喜愛，ChatGPT 也在 2023 年 2 月 1 日在美國發表付費方案 GhatGPT Plus。

ChatGPT 目前的產品形式是一個以對話方式進行互動的人工智慧聊天室，依據 OpenAI 官方網站的頁面描述，ChatGPT 能做到回答問題、承認錯誤、挑戰不正確的前提，與拒絕不適當請求等任務型對話。具體而言，可以依據聊天室對話框內輸入的文字問題或請求達到上下文理解、重點摘要、文字問答、訊息節錄、譜寫詞曲、語言翻譯等功能。

2. ChatGPT 能言善道且應用廣泛 但處理常識性問題仍有侷限性

ChatGPT 模型其強大功能背後的基礎，來自於結合 OpenAI 旗下 GPT-3 與 CodeX 兩大模型後所產生的結果。GPT-3 其巨大數據訓練量可執行各種自然語言任務，而 CodeX 則可以自然語言為基礎來生成程式碼，進而讓 ChatGPT 模型可以完成各種各樣任務型對話的能力。

普遍公認 ChatGPT 在技術上最大的突破就是能處理非常廣泛的主題，除依據 OpenAI 網站範例中所提到的基本問答、翻譯、文字對話、資訊整理與歸納、文本內容生成、文法修正，以及程式碼編輯與除錯等基本功能可以用相當快的速度彙整資訊外，甚至能精

準處理識別對話中出現的人、事、時、地、物等資訊；隨著註冊人數上升，各式應用，或者說各種使用 ChatGPT 的方式也正不斷突破以往大眾對於聊天機器人的認知。例如草擬訪談大綱、撰寫論文、劇本小說、生成個人化的電子郵件內容、生成特定主題的新聞文章，甚至用 ChatGPT 填答課堂考試，都能得到超過中位數的分數。

然而 ChatGPT 目前仍存在侷限性，主要瓶頸在於常識性的問題往往難以回答，以「拉不拉多獵犬比較適合乾洗，還是可以用洗衣機洗？」為例，ChatGPT 會回答「拉不拉多犬是一種毛質較濕的犬種，所以乾洗較合適。」可見其不一定具備基本常識的邏輯，因過去常識性知識往往從生活經驗積累而來，也較不會被記錄在資料庫中，故 ChatGPT 也無從依據，也就是說，此類訓練資料庫中相對缺乏的數據或議題，將可能造成 ChatGPT 在使用上的侷限或偏誤。此外，從輸入資訊來說，若使用者輸入的資訊不足或問題定義不清，也難以產出符合需要的回應。然而複雜的問題也往往難以僅以幾句文字就能夠完整交代全貌，故其能回答的程度仍有限制。

資料來源：OpenAI，資策會 MIC 經濟部 ITIS 研究團隊整理，2023 年 6 月

圖 5-3　ChatGPT 功能由文本補全和程式碼生成為兩大基礎

3. ChatGPT 運用增強式學習使回應更加符合人類語言習慣

探究 ChatGPT 背後的技術原理，為讓 ChatGPT 的回答表現更加符合人類偏好，所使用的 AI 技術包含監督式學習與增強式學習。

在 GPT-3.5 基礎上，透過監督式學習以少部分標註語料微調 GPT-3.5 並開發出 ChatGPT，但此時的 ChatGPT 無法分辨符合人類偏好的答案，以隨機方式挑選回答內容，導致可能出現答非所問的情形。

為解決上述課題，OpenAI 導入評分模型（Reward Model）與人類導師機制，針對相同問題將 ChatGPT 的多種隨機答案由人類導師進行評分與排序，藉此訓練能判斷答案好壞的評分模型。接著運用訓練完成的評分模型以增強式學習精進 ChatGPT 的回答表現，將 ChatGPT 的回答交由評分模型打分數，再根據評分結果持續調整 ChatGPT，藉此訓練出回答具備條理、且符合人類偏好的 AI 聊天機器人。

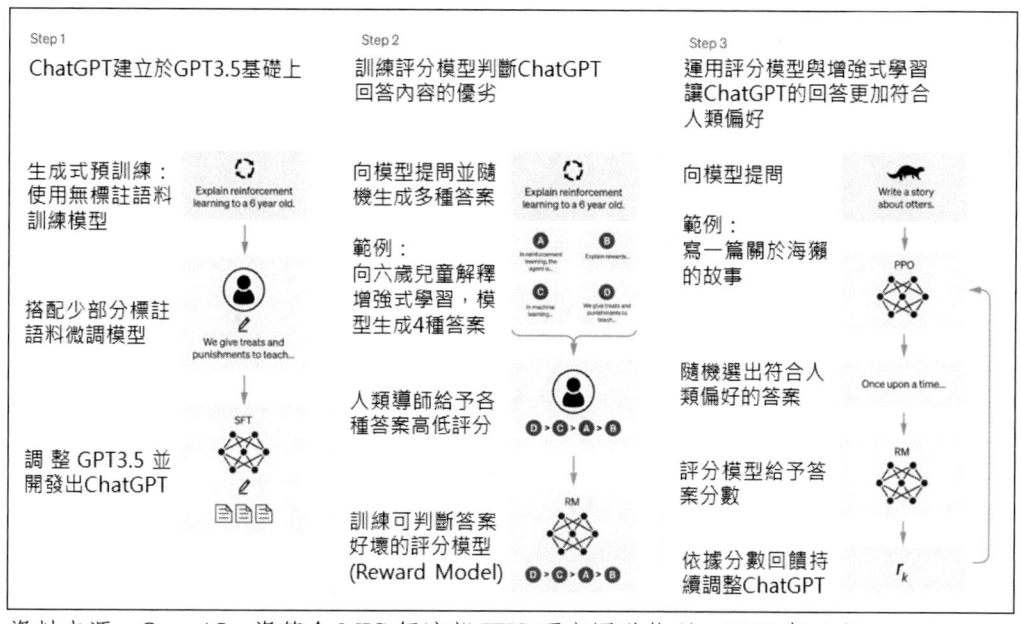

資料來源：OpenAI，資策會 MIC 經濟部 ITIS 研究團隊整理，2023 年 6 月

圖 5-4　ChatGPT 技術原理

（三）ChatGPT 產業應用對終端硬體發展影響

而在 ChatGPT 等大型語言模型（Large Language Model, LLM）的生成式 AI 應用發展下，ChatGPT 服務將帶動 HPC、高階伺服器市場出貨成長，同時帶動上游零組件規格提升。同時，產業專業應用的

ChatGPT 也將為地端（On-premise）及邊緣（Edge）伺服器的市場發展帶來成長契機，包括如下趨勢：

1. LLM 催化雲端服務商擴大 AI 算力戰爭

而此波 ChatGPT 應用熱潮的最大受益者，當然是以 Microsoft 居首，因其作為 Open AI 的最大股東，決定於 2023 年追加 100 億美元投資，希望將 GPT 的技術融入到包含 Azure 雲端平台、瀏覽器 Edge、搜尋引擎 Bing 以及 Office 的全產品線當中。此舉動也引發其他雲端服務商的積極投入，如 Google 推出 Bard AI 語言模型來應戰；Meta 則是推出 AI 大型語言模型 LLaMA。另外，包含百度、阿里巴巴、字節跳動等中國大陸雲端服務商，亦在積極布局相關的技術，其中開發速度最快的是百度，2 月份已經公布類 ChatGPT 專案「文心一言」，英文名為 ERNIE Bot。

在 ChatGPT 效益帶動之下，雲端服務商已經開始透過資料中心架構的重新設計，擴大導入 AI 算力，為此則須提高搭載 GPU、FPGA 及 ASIC 等 AI 加速晶片的比重，提升高階伺服器的採購需求。相較於一般的 CPU 伺服器，AI 伺服器的設計更著重於支援大量、複雜且平行的資料運算，以應付深度學習和人工智慧等高運算需求。在硬體上，AI 伺服器配備有專門為機器學習和深度學習設計的強大 GPU 或 TPU，以支援大規模平行處理和高速運算。此外，AI 伺服器也配置更大的記憶體和儲存空間，以處理和儲存大量的數據。這些特性使得 AI 伺服器在處理 AI 工作負載方面，比一般的 CPU 伺服器更具效率和效能。

進一步分析 AI 加速晶片的種類，目前使用最多的是搭載 GPU，例如選擇採用 NVIDIA、AMD 的產品；FPGA 方面，主要可搭載 AMD Xillinx 的產品。最後則是各廠商的自研 AI 晶片，包含 AWS Tranium 晶片、Google TPU 晶片等。然搭載 AI 加速晶片的高階伺服器，因為初期價格昂貴，對伺服器整體出貨量的增加效益較小；不過對於伺服器的總產值則有望帶來較高的漲幅。

2. LLM算力需求帶動AI伺服器零組件規格提升

　　用以運算LLM的AI伺服器內部需要安裝大量的AI加速卡，且功耗、用電量及產生的熱能均大幅增加，因此包含機殼、電源供應器、散熱模組等伺服器零組件亦須配合進行調整。在機殼方面，儘管AI伺服器對伺服器機殼在用料、材質的影響相對較小，然而因為機箱高度改變以及搭載的零組件項目增加，對機殼在機構、散熱方面具有較大影響。因此客戶均積極和機殼廠商合作設計AI伺服器機殼，進而帶動機殼的營收。當前部分機殼廠亦自己組裝伺服器提供給客戶，客戶進行驗證後透過貼牌販售至市場；或是提供機殼、PSU及散熱模組給客戶，再由客戶完成剩餘組裝的商業模式。

　　電源供應器則為AI伺服器成長下重點受惠的零組件，以AI訓練伺服器為例，一台8x H100 GPU的伺服器中，最高需要搭載6顆3,000w的鈦金級（Titanium）PSU，因此高階電源供應器出貨有望增加。除此之外，Computex 2023亦有廠商展出長型的PSU產品，最高提供4,000w的功率。其特點是可以增加滿載率並可以更快速進行回應，配合機箱架構的整體配置，適合導入JBoG或是儲存伺服器當中。散熱方面，除了直接式水冷、沉浸式液冷等新型態散熱外，傳統的散熱模組因AI伺服器的高度提升，同樣透過增加其厚度來強化整體的散熱效果。整體而言，AI伺服器因為GPU的價格高昂使整個物料清單（BOM表）成本比較更偏向GPU，但是其他零組件仍將受惠伺服器規格、整體單價上升，進而開發新型態的產品。

3. LLM驅動整體解決方案與地端、邊緣硬體發展

　　現行的ChatGPT模型、參數與權重本身並非屬於開源模式，一般企業無法匯入私有資料進行預訓練，更遑論要導入商業應用或推出整合服務。雖然OpenAI允許企業以API形式串接應用，並依據使用流量支付予OpenAI；但目前ChatGPT（包括API介面所能取得的服務）的預訓練資料，皆來自網路空間的公開數據（如維基百科、新聞文章、公開社群網站貼文、網站文章等），或是Github上的開源程式碼，故在產業的專業領域應用上，仍有所侷限。

為此，產業針對涵蓋私有數據的 AI 應用，仍存在自建模型，並部署於企業地端、邊緣伺服器之需求，除兼顧數據隱私外，同時達到降低延遲、降低流量成本的目標，為滿足此目的預估將推出「類ChatGPT 模型」。

不論是 ChatGPT 或類 ChatGPT 的 LLM 模型，在一般消費應用或產業應用，都與以往的硬體設計方式，產生質變效果。短期可見的是，許多雲端服務商間的競爭漸趨白熱化，從需求端拉動資料中心及相關供應鏈的成長。如 2023 年 Computex 展區，華碩及臺灣智慧雲端（台智雲）就首次推出了 AI Foundry Servive（AFS）服務，企業可利用台智雲 AIHPC 進行雲端超級運算服務、上層訓練、自定義模型服務等，此外，AFS 也提供將大型語言模型（LLM）部署於企業地端伺服器的解決方案。由於目前 OpenAI 的 ChatGPT 服務對企業私有資料保障度不足，也無法以企業數據進行預訓練，應用彈性低，因此將「類 ChatGPT 服務」導入企業地端的解決方案，在現場的詢問度相當熱烈。由此可見，未來企業端的大語言（LLM）AI 模型訓練及推論服務需求，將逐漸從集中式的雲端服務，轉向「雲端+地端」部署、以及整合專有軟體服務平台、顧問服務的方向邁進，而客製化企業用大語言模型逐漸能在高規的地端系統實現，也有機會帶動企業地端伺服器升級動能。

在發展中期，基礎模型如 GPT 的產業應用則會為地端伺服器與邊緣運算裝置，挹注成長助力。在產業端應用上，地端 AI 伺服器、邊緣運算可藉由將模型部署於更靠近應用端，以降低延遲，提高應用即時性。例如在智慧客服、智慧生產線助理、醫療助理等應用場景中，使用者需要快速獲得 GPT 系統的回應並解決問題，因此低延遲成為應用的關鍵特性之一。此外相較於公有雲的服務方式，地端 AI 伺服器及邊緣運算裝置，更能避免機敏數據外洩等問題，同時節省雲端數據傳輸的流量支出。

4. LLM 算力需求帶動量子運算發展

長期來看，LLM 的大型語言訓練成本高昂，並加速量子運算進入 AI 戰場的可能性。類 ChatGPT 模型訓練對傳統硬體算力（CPU、

GPU）的龐大要求，也使產學界將目光逐漸轉向次世代運算架構，量子運算即為其一。量子運算具高效的平行運算能力，可同時處理多維數據，並在特定數據情境下，透過量子演算法達到指數級加速。

此外，量子運算的多疊加樣態特性，也可識別基於布林值（0 與 1）的傳統運算系統難以發現的語言模式，進而提供較精確的 AI 推論，或在同樣推論效果下，減少所需的訓練數據、運算成本以及能耗。雖然量子運算硬體仍在發展階段，近年量子自然語言處理（Quantum Natural Language Processing, QNLP）已成熱門顯學，量子運算用於機器學習、AI 訓練的發展值得關注。

（四）結論

OpenAI 於 2022 年 11 月推出的 ChatGPT 已經帶動一般消費市場的高度使用與討論聲量；在 2023 年 2 月更推出新版 API，允許企業以 API 形式串接應用，更是將其應用範疇擴大至產業專業應用領域，許多企業也開始串接，企圖推出類 ChatGPT 的 LLM 服務。

然而，泛用型的 ChatGPT 應用依然需要仰賴大量的預訓練資料集，且基於 Transformer 模型特性，在訓練階段就會需要大量平行運算，此類高度算力密集的應用需求，是帶動資料中心、高階伺服器、及其關鍵元件如 GPU、AI 客製晶片、FPGA 成長的主要因素。至於在產業專業應用部分，由於企業有機敏數據訓練、低延遲推論等應用需求，無法在目前的集中式模型訓練機制上進行，因此用於企業數據訓練、推論的地端 AI 伺服器、邊緣伺服器等，則是較佳的選擇。然而，不論是何種應用模式，對於雲端服務商及一般產業用戶，在 AI 算力的軍備競賽上將會持續不歇。

第六章 未來展望

一、全球資訊硬體市場展望

（一）全球資訊硬體市場未來展望總論

IMF 於 2023 年 6 月發布的〈世界經濟展望〉（World Economic Outlook）中指出，2023 年全球經濟將受到全球性通膨的影響而顯著放緩，先進開發國家的增速放緩預計將尤為明顯。2023 年全球經濟成長率預估為 2.8%，2024 年則為 3.0%。個別國家方面，預估美國 2023 年的經濟成長率為 1.6%；歐元區則是 0.8%；中國大陸 2023 年成長率可高達 5.2%，日本為 1.3%，臺灣則為 2.1%，若從主計處 2023 年 5 月的最新統計及預估，2023 年臺灣經濟成長率預期將低至 2.04%。

值得注意的是，全球先進開發國家部分的經濟成長，在 2023 及 2024 年都僅為 1.3%及 1.4%，對於中高階資訊硬體產品而言，將會影響桌機、筆電及平板電腦等消費性電子產品於當地的銷量。另一值得關注的為新興市場和發展中經濟體，經濟成長率由 2022 年的 4.0%、2023 年的 3.9%、恢復到 2024 年的 4.2%，對於資訊硬體產品業者而言，新興市場的消費活力復甦可期。

（二）全球資訊硬體個別市場未來展望

1. 全球桌上型電腦市場未來展望

展望未來，2023 年全球桌上型電腦市場出貨約 74,652 千台，相較去年衰退 2.8%。COVID-19 影響消退後的 2023 年，在全球通膨未解及俄烏戰爭膠著的狀況下，疫後的經濟情勢依然艱困。國際貨幣基金（IMF）預估全球經濟成長率（GDP growth rate）從 2022 年 3.4%下降到 2023 年的 2.8%，主因是升息使經濟活動降溫，加上歐美科技企業裁員消息不斷，將波及商用及消費市場採購動能。

PC供應鏈從處理器大廠到品牌客戶對2023年,未見到景氣復甦前,品牌商仍保守看待市場狀況。上半年供應鏈以清理庫存為主要任務,儘管下游成品庫存狀況好轉,堆積在上游供應商的零組件仍待消化。為了加速清理庫存,處理器大廠Intel與AMD陸續針對上一代產品祭出優惠價格吸引品牌商拉貨。預期在2023上半年桌機供應鏈庫存可以逐漸轉向健康水位,品牌商將市況好轉的期盼放在下半年,期待買氣逐季好轉,桌機出貨量止跌回穩。

在市場需求部分,無論是經濟景氣或是桌機軟硬體設備,在2023年皆處於一個過渡轉換階段,再加上迎接疫後工作與生活型態,都將影響個人及企業換機考量。尤其是企業需求的商用電腦,面對全球企業競相積極落實ESG減碳行動,將對辦公室運算產品有更高要求。在此趨勢下,品牌廠將加強PC產品設計以具備更好能源效率,符合環保與再生循環再生等條件,降低終端需求者在使用運算設備時產生的碳足跡。綠色運算產品的市場需求將隨著企業減碳行動的逐步增強,並將成為商用桌機採購的重要規格。

2. 全球筆記型電腦市場未來展望

展望2023年全球筆記型電腦市場表現,景氣復甦速度將成為影響2023下半年市場需求回溫效果的最大主因。2023年1月,世界銀行下修全球經濟成長率至1.7%,並大幅下修多數國家和地區的經濟成長預測,同時預告全球經濟將繼續受挫;聯合國也同樣認為在糧食與能源價格飆漲、高通膨及氣候變遷等多重打擊下,2023年全球經濟成長率將僅有1.9%,相較2022年的3%再向下修正。

不過,2月初國際貨幣基金發表的經濟預測卻有了不同看法,有別於2022年10月警告經濟可能跌入衰退深淵的言論,IMF表示,受惠燃料與大宗商品價格回落及各國貨幣政策轉趨緊縮,全球通膨率在2022年已然觸頂,2023年將有望持續放緩,並將有84%的國家通膨將降溫。

短短兩個月內,研究機構對於全球景氣展望的看法出現截然不同的走向,看得出2023年全球景氣變化性仍相當大。其中,中國大陸地區放寬清零政策、重啟經濟,能否為消費需求帶來成長,各家

廠商也都還在觀望；北美地區自 2022 下半年起湧現的大規模裁員潮，能否有所降溫，讓就業率有明顯提升，也影響著美國市場是否願意將儲蓄轉換為消費力道；至於歐洲地區則須觀察在俄烏戰事的衝擊下，該如何適應甚至重返市場需求，供應鏈也抱著且戰且走的心態，持續觀察市場動向。不變的是，儘管 2023 年度各家廠商對於市場展望相對保守，但仍抱有對於景氣復甦的一絲期待，希望下半年在這些變動因素的弱化後，能有望出現需求逐季增長的情況。

3. 全球伺服器市場未來展望

展望 2023 年全球伺服器市場，美系雲端服務商受全球經濟情勢影響，並期望達到 2050 年淨零碳排目標與降低伺服器汰換成本與人事成本，陸續延長伺服器使用年限、對組織內部人力進行精簡並調整部分資料中心建設計畫。然而資料中心仍在持續新建，其拉貨主要動力在於資料中心結構的調整，並且加速 AI 算力於資料中心內部導入。

此外，全球伺服器市場的脈動與伺服器中央處理器（Central Processing Unit, CPU）的推出息息相關。從主流的 x86 架構觀察，2023 年搭載新一代處理器 Intel Sapphire Rapids、AMD Genoa 的伺服器推出，主要將由新建的資料中心進行導入，並搭配 AMD Instrict MI250x & MI300 GPU、NVIDIA H100 GPU，以及 FPGA、ASIC 等 AI 加速晶片。另外在 Arm 架構部分，AWS 將使用最新的 Graviton 3E 處理器，搭載 Ampere One 處理器的伺服器亦將推出，NVIDIA 則推出搭載自研 Grace CPU 及 Grace Hopper Superchip 的伺服器。

值得關注的是，美國 OpenAI 在 2022 年 11 月 30 日推出聊天機器人 ChatGPT 後，在短短二個月內吸引超過 1 億人次的累計使用人數，而每日活躍人數亦迅速攀升。ChatGPT 熱潮對全球伺服器市場的影響，可以分成兩個層面來進行探討：首先在 AI 訓練方面，大型企業會採買搭載 NVIDIA A100、H100 處理器的 DGX 系統，或直接購買由多個 DGX 集成的 SuperPOD 超級電腦叢集，Dell、HPE 與 Supermicro 等伺服器品牌商推出的 NVDIA GPU Server 亦將成為雲端服務商、中小型廠商採購的目標；而在 AI 推論方面，除了搭載

AI 推論特化的 NVDIA L40、L4 GPU 的伺服器之外，搭載 FPGA、ASIC 的伺服器，亦將成為採買的重點。而展望未來，在 AI 算力更加特化的情形下，適配各種應用場景的處理器與伺服器亦將出現，帶動全球伺服器市場的出貨，在 AI 伺服器成本高昂、高單價的特性下，亦會使全球伺服器平均售價上升。

4. 全球主機板市場未來展望

展望 2023 年，全球主機板出貨量約 8,237.6 萬片，年衰退率 2.0%。經過 2022 年的兩位數衰退之後，市場主要品牌與通路業者從 2022 年下半年積極調整庫存狀況，預估至 2023 年上半年即可恢復正常通路的庫存水位，對 2023 年的出貨目標抱持審慎樂觀態度，「持平」幾乎是大多數廠商的營運目標。

從 2023 年的新產品觀察，在系統產品部分，品牌商看好在 2023 年上半年即將推出的多款遊戲，規劃推出搭配新款 CPU 及 NVIDIA RTX40 中階系列 GPU，推出桌機新品，將帶動主機板廠商在系統層級的出貨表現。此外在 PC DIY 市場部分，隨著 NVIDIA 中階顯卡新品 RTX 4070 系列於四月中旬上市，將有助搭配中階顯卡的主機板市場出現成長，加上第二季底又有中國大陸電商年中銷售活動，預計將有一波行銷活動，但對注重高效能運算的 DIY 市場用戶，仍是一個市場成長機會點。

二、臺灣資訊硬體產業展望

（一）臺灣資訊硬體產業未來展望總論

預估 2023 年臺灣資訊硬體產業產值預計為 125,358 百萬美元，衰退幅度為 6.2%。2023 年資訊硬體產品面對消費衰退、以及俄烏戰爭帶來的通膨、物價飛漲等負面要素，使整體產值仍呈現萎縮狀態，唯伺服器類產品因應全球智慧應用增加、數據處理及通訊等剛性需求仍在，而維持一定成長率。而在 2024 年部分，除因 2023 年基期較低外，高階 AI 伺服器需求將持續增加，以及筆電產業出貨預期陸續回穩，預計將帶來 7.8%的年增率。

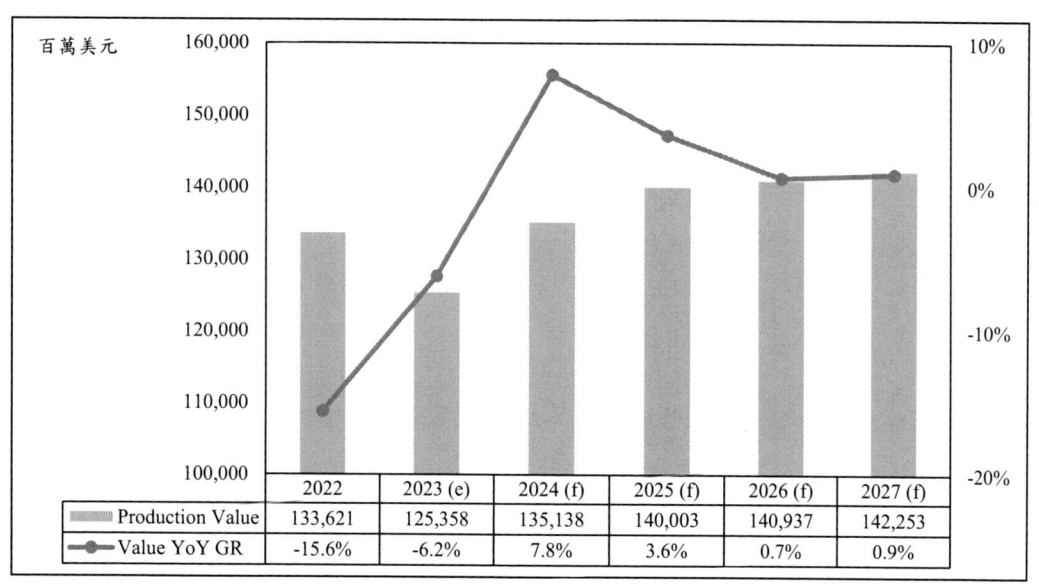

第六章 未來展望

	2022	2023 (e)	2024 (f)	2025 (f)	2026 (f)	2027 (f)
Production Value	133,621	125,358	135,138	140,003	140,937	142,253
Value YoY GR	-15.6%	-6.2%	7.8%	3.6%	0.7%	0.9%

資料來源：資策會 MIC 經濟部 ITIS 研究團隊，2023 年 6 月

圖 6-1　2022-2027 年臺灣資訊硬體產業總產值之展望

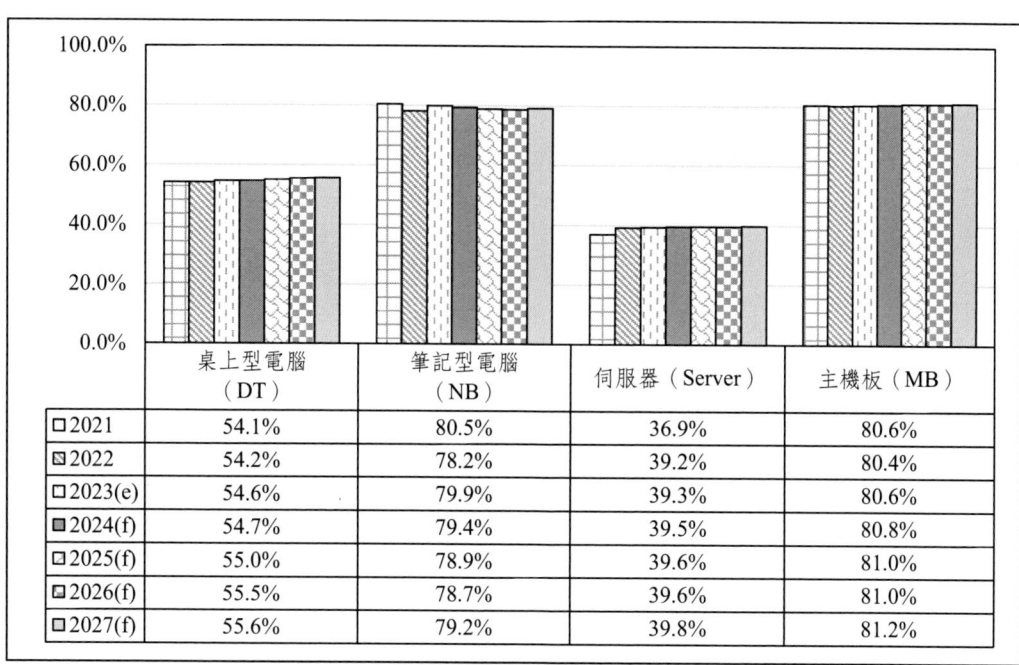

	桌上型電腦（DT）	筆記型電腦（NB）	伺服器（Server）	主機板（MB）
2021	54.1%	80.5%	36.9%	80.6%
2022	54.2%	78.2%	39.2%	80.4%
2023(e)	54.6%	79.9%	39.3%	80.6%
2024(f)	54.7%	79.4%	39.5%	80.8%
2025(f)	55.0%	78.9%	39.6%	81.0%
2026(f)	55.5%	78.7%	39.6%	81.0%
2027(f)	55.6%	79.2%	39.8%	81.2%

註1：筆記型電腦產銷數據包含主流筆記型電腦與迷你筆記型電腦等產品型態
註2：主機板產銷數據包含純主機板、準系統及全系統等出貨型態
註3：伺服器產銷數據包含準系統及全系統等出貨型態，未包含純主機板出貨型態
資料來源：資策會 MIC 經濟部 ITIS 研究團隊，2023 年 6 月

圖 6-2　2021-2027 年臺灣主要資訊硬體產品全球占有率長期展望

在產品別部分，臺灣資訊硬體產品仍以筆記型電腦、桌上型電腦、伺服器、主機板為主。2023年臺灣筆記型電腦產值之全球市占率預估將下降1.4%至76.8%、2023年臺灣桌上型電腦產值之全球市占率預估將下降1.1%至53%、2023年臺灣伺服器產值之全球市占率預估將上升0.9%至40.1%、2023年臺灣主機板產值之全球市占率預估將降低0.6%至79.8%，雖然有短期市占率波動，但可見臺灣資訊硬體產業仍扮演全球供應鏈的重要角色，尤在智慧運算領域關鍵的伺服器上。惟須注意部分產業因中國大陸等代工廠出現，在產值占比上微幅下滑。

（二）臺灣資訊硬體個別產業未來展望

1. 臺灣桌上型電腦產業未來展望

臺灣桌上型電腦產業以代工為主，由於桌機以商用市場為重，商用產品在規格與穩定度要求相對較高，臺灣桌機代工廠商因擁有技術領先、高品質、經濟規模等多項優勢，至今仍是各大品牌商首選的代工夥伴，尤其高階商用型電腦更幾乎委由臺廠生產製造。近年來受到中國大陸品牌商持續推動在地生產策略，及政府標案國有品牌化等作法，將壓縮臺灣桌機代工數量與市場占比。

展望未來，2023年上半年，消費市場持續受到高通膨影響消費需求，以及歐美科技企業裁員不斷影響，企業將沿用既有資訊設備，影響商用桌機採購需求，第一季出貨量相較2022年第四季持續下滑，第二季出貨量將止跌回穩。預期在2023上半年桌機庫存清理將告一段落，隨著疫情正常化後，中國大陸與歐美消費力道有機會回復，下半年買氣可逐季好轉，桌機出貨數量可望緩慢回復，儘管下半年傳統旺季消費需求有望回溫，品牌商仍保守看待市場狀況。預計2023年整年度臺灣桌機出貨約為39,535千台，相較2022年衰退5%。

2. 臺灣筆記型電腦產業未來展望

臺灣筆記型電腦產業長期以OEM／ODM代工形式為主，與上下游供應鏈間長期的合作關係，以及持續精進的產品開發與品質管

理能力，讓臺灣筆電代工產業擁有相對其他代工廠更為優異的出貨表現，使得臺灣筆電代工出貨量始終維持約八成左右的占比。

展望2023年臺灣筆記型電腦產業表現，面對美國暴力式升息及全球通膨影響消費力道的情況下，全球筆電市場自2022下半年起出現消費性需求低迷，且商務市場也顯著衰退的情形。市場買氣的清淡，讓品牌廠商的庫存壓力提高，也連帶擠壓了對ODM廠商的訂單需求，然而先前陸續到貨的材料在品牌廠訂單縮手的狀況下，反倒成為零組件庫存水位上升的壓力來源；再者，品牌廠商延後向ODM廠Hub倉庫拉貨的日期，也使得ODM廠商必須背負成品庫存尚未出倉的壓力，讓不少ODM廠的Hub倉庫庫存天數直至2023年上半年仍處於警示的黃燈狀態，也迫使ODM廠商須持續性的與客戶溝通以去化庫存帶來的壓力，使得庫存去化成為2023上半年臺灣產業仍須積極解決的重要議題。

除了庫存狀況持續等待好轉外，全球筆電市場的「校正回歸」未能於2022年終止，使得在總體環境波動持續、走勢不明的情況下，讓2023年全球筆電市場面臨較大的不確定性。不過，所幸的是，雖然市場需求的減緩仍屬有感，然三大晶片商相繼推出新一代的處理器及GPU新品，並預期自第二季起開始陸續上市相關搭載的新機，無疑為2023年的筆電市場帶來一絲換機需求的曙光，也讓筆電供應鏈廠商抱持逐季增長的市場期望，更期盼在經濟復甦政策及升息循環的結束後，能有望推升下半年的筆電需求，進而使臺灣筆電產業出貨量回歸45:55的上下半年比重。

3. 臺灣伺服器產業未來展望

展望2023年，繼2022年美系雲端服務商開啟延長伺服器使用年限的作為，2023年1月Google也將伺服器使用年限由4年延長至6年，Meta則是由4年延長至5年。分析主要考量因素除了淨零碳排考量而降低廢棄物處理量，亦跟全球通貨膨脹導致2022年業績不佳有所關聯。這樣替換週期的延長，將會影響臺灣產業伺服器的出貨表現。

在需求端，隨著 Intel、AMD 的新處理器平台陸續推出，伺服器品牌商 Dell、HPE、浪潮、Supermicro，以及我國白牌廠商均紛紛發表新一代的伺服器產品，出貨量於 2023 年第二季開始提升。此外，在雲端服務商方面，中系業者因整體政經環境影響企業對雲端服務需求，包含字節跳動、阿里巴巴、騰訊等業者均受到影響。美系伺服器品牌商與雲端服務商，在新處理器平台推出下需求皆有望提升。惟中國大陸伺服器品牌商，因美國禁令及中國大陸政策變動等不確定因素，仍須持續觀望。

在伺服器產線方面，當前雲端服務商持續於東南亞、南亞進行資料中心建造計畫，包含泰國、印度海德巴拉、印度浦那等均為 2023 年重點投資地區，有望持續帶動伺服器訂單。相較於較多資料中心規範的歐盟、新加坡等國家，雲端服務商鎖定市場龐大且對資料中心規範仍較開放的國家，藉此來加速資料中心的布局。因此我國伺服器代工業者於 2023 年將有望持續朝泰國、馬來西亞及印度等地擴增產線，一方面分散伺服器產線的風險，另一方面則貼近資料中心建造的最終市場，可以節省關稅與運輸成本。

綜上所述，預期臺灣 2023 年伺服器系統及準系統出貨表現將較 2022 年成長 6.6%，出貨約達 5,617 千台。主機板出貨表現將較 2022 年成長 5.5%，出貨約達 6,199 千片。

4. 臺灣主機板產業未來展望

全球主機板之區域排名，臺灣長年位居首位，產量在全球市占比重約達八成以上，因主機板品質控管能力佳，故國際 PC 品牌大廠與臺灣主機板廠商長期保持穩定合作。純主機板比重占臺廠出貨量四成左右，主要客群為 PC DIY 用戶，雖然近年來消費者會自行組裝電腦的比例越趨減少，加上 2023 年總體經濟環境不佳，處理器廠商規劃推出新款產品的變化程度不高，處理器廠商在 2023 年上半年仍積極出清存貨狀況，新產品也多為延續前一世代的產品規格，在新品效益不高的情況下，恐將影響整體主機板的市場表現與臺灣廠商之出貨狀況。

第六章 未來展望

　　展望 2023 年，面對全球通膨壓力尚未消除、終端購買力道尚未回溫，雖然主機板廠商早在 2022 年下半年即開始庫存去化動作，並在 2023 年第一季末，通路端庫存水位多已回歸至正常水位，然終端市場需求並未看到大幅度的成長現象，加上系統產品品牌商審慎看待 2023 年市況，使得臺灣主機板產業出貨量約為 6,600 萬片，較 2022 年衰退達 2.3%。

　　在 2023 年，PC 供應鏈從處理器大廠、主機板品牌廠商到系統產品品牌廠商，皆保守看待整年市場需求表現，為了加速清理零組件庫存，處理器大廠 Intel 與 AMD 陸續針對上一代產品祭出優惠價格吸引品牌商拉貨；另一方面，為驅動中高階市場需求，也陸續推出多款新品，使得產品 ASP 約與 2022 年持平，預估 2023 年臺灣主機板產業產值約為 3,611 百萬美元，相較 2022 年下滑 3.5%。

附錄

一、範疇定義

（一）研究範疇

研究項目	研究範疇
資訊硬體產業	資訊硬體產業範疇，主要以資訊硬體產品及其產業為代表，涵蓋四大產品包括桌上型電腦、筆記型電腦（含迷你筆記型電腦）、伺服器、主機板等
業務型態	臺灣資訊硬體產業產銷調查各產業業務型態包括下列幾種： ● ODM：製造商與客戶合作制定產品規格或依據客戶的規範自行進行產品設計，並於通過客戶認證與接單後進行生產或組裝活動 ● OEM：製造商依據客戶提供的產品規格與製造規範進行生產或組裝活動，不涉及客戶在產品概念、產品設計、品牌經營、銷售及後勤等價值鏈活動 ● OBM：製造商根據自己提出的產品概念進行設計、製造、品牌經營、銷售與後勤等活動
區域市場	本研究調查區域市場範圍如下： ● 北美（North America）：美國、加拿大 ● 西歐（West Europe）：奧地利、比利時、瑞士、法國、德國、希臘、義大利、葡萄牙、西班牙、英國、愛爾蘭、荷蘭、丹麥、瑞典、挪威、芬蘭 ● 亞洲（Asia & Pacific）：日本、中國大陸、不丹、印度、錫金、越南、北韓、泰國、菲律賓、新加坡、尼泊爾、孟加拉、馬來西亞、斯里蘭卡、印度尼西亞 ● 其他地區：中南美洲、除西歐之外歐洲其他國家、大洋洲、非洲、中東

資料來源：資策會 MIC 經濟部 ITIS 研究團隊，2023 年 6 月

（二）產品定義

研究項目	產品定義
桌上型電腦 （Desktop PC）	桌上型電腦係指個人電腦類型之一，研究範圍包括Tower or Desktop、Slim type和AIO PC三類。桌上型電腦的產品出貨型態可區分為全系統和準系統，全系統係指裝置CPU，加上HDD、CD-ROM、DRAM等關鍵零組件，並且安裝作業系統，整機測試等。準系統係指半系統加上主機板或裝置輸入、輸出等元件。另全系統的產值統計僅計算電腦系統本體，不計入液晶監視器與相關周邊如鍵盤、滑鼠等部分。但一體成形式桌上型電腦由於採All-in-One設計，因此將面板價值亦納入統計
筆記型電腦 （Notebook PC）	筆記型電腦為個人電腦之一種形式，相對於桌上型電腦，其係指具可移動特性，且在機構設計上多呈書本開闔型態之個人電腦，研究範圍為螢幕尺寸為7吋以上（包含10.4吋）之筆記型電腦。產品出貨型態可區分為全系統和準系統，全系統係指可直接開機使用之產品。準系統係指完成度高於主機板，但仍缺CPU、HDD或LCD Display等任一關鍵零組件以上之產品
伺服器 （Server）	伺服器係指於製造、行銷及銷售時就已限定作為網路伺服用途之電腦系統，並可在標準的網路作業系統（如Unix、Windows及Linux等）之下運作。伺服器的產品出貨型態可區分為全系統和準系統，全系統係指已安裝主機板、CPU、記憶體、硬碟，可直接開機之伺服器產品。準系統係指不包含CPU、記憶體、硬碟，但已安裝主機板，並可安裝光碟機之伺服器產品
主機板 （Mother Board）	主機板係指應用於桌上型電腦，且其出貨時多半不含CPU或是DRAM之出貨形式，然亦出現少量將CPU或DRAM直接焊接於印刷電路板上之產品，其運作方式與一般主機板相同，因此這類主機板亦列入研究範疇

資料來源：資策會 MIC 經濟部 ITIS 研究團隊，2023 年 6 月

二、資訊硬體產業重要大事紀

時間	重大事件
2022年1月	▪ AMD發表Radeon RX 6000S系列筆電顯示卡 ▪ Google投資樺漢，為首次投資臺灣上市櫃公司 ▪ AMD推出Amazon EC2 ▪ 英特爾發表Core i9處理器
2022年2月	▪ 俄烏戰爭開始 ▪ 蘋果宣布未來高毛利零組件將自行設計 ▪ NVIDIA、Arm收購案正式破局，Arm將推動IPO
2022年3月	▪ UCIe小晶片聯盟成立 ▪ 歐版《晶片法案》啟動 ▪ 美光推出176層NAND資料中心SSD
2022年4月	▪ 英特爾Arc A顯卡系列上市 ▪ AMD收購Pensando ▪ Ampere申請IPO
2022年5月	▪ Google發表Cloud TPU v4 ▪ 英特爾發表Rialto Bridge新資料中心GPU ▪ NVIDIA發布水冷式A100 PCIe、Grace Hopper
2022年6月	▪ AWS宣布本地雲（Local Zone）將落腳臺灣 ▪ Intel Arc A380顯示卡登場
2022年7月	▪ 搭配M2晶片的MacBook Air、MacBook Pro上市 ▪ 首款搭載原生RISC-V處理器的筆電上市 ▪ HPE發表首台Arm架構ProLiant RL300伺服器
2022年8月	▪ 中國大陸四川出現限電危機 ▪ Intel正式推出Data Center GPU Flex系列 ▪ HP推出首款Dragonfly Folio筆電與34吋AIO桌機
2022年9月	▪ Arm控告高通侵權挪用Nuvia授權技術 ▪ NVIDIA高階AI晶片禁止輸中 ▪ Intel Arc A750獨立顯卡於TGS 2022東京電玩展發布
2022年10月	▪ Google宣布將於2023年在日本開設首個資料中心 ▪ Intel宣布裁員計畫，裁撤20%人員
2022年11月	▪ AMD公布代號Genoa第四代EPYC處理器 ▪ HPI惠普宣布裁員達6,000人 ▪ OpenAI ChatGPT服務正式推出
2022年12月	▪ Meta調整發展計畫，丹麥第3座資料中心暫停續建 ▪ Intel圖形晶片部門拆分為二，Raja Koduri回歸擔任首席架構師

資料來源：資策會MIC經濟部ITIS研究團隊，2023年6月

三、中英文專有名詞縮語／略語對照表

英文縮寫	英文全名	中文名稱
ADAS	Advanced Driver Assistance Systems	先進駕駛輔助系統
AI	Artificial Intelligence	人工智慧
AIGC	Artificial Intelligence Generated Content	人工智慧生成內容
AIO PC	All In One PC	一體機
AIoT	Artificial Intelligence of Things	人工智慧物聯網
AMR	Autonomous Mobile Robot	自主移動機器人
AOSP	Android Open Source Project	安卓開源專案
API	Application Programming Interface	應用程式介面
AR	Augmented Reality	擴增實境
ASIC	Application Specific Integrated Circuit	專用積體電路
ASP	Application Service Provider	應用服務提供商
CES	Consumer Electronics Show	消費電子展
CIPS	China International Payment System	中國國際支付系統
CPI	Consumer Price Index	消費者價格指數
CPU	Central Processing Unit	中央處理器
CSP	Cloud Service Provider	雲端服務提供商
EDA	Electronic Design Automation	電子設計自動化
ESG	Environmental, Social, and Governance	環境、社會、與治理
FPGA	Field-Programmable Gate Array	現場可程式邏輯閘陣列
GAN	Generative Adversarial Networks	生成對抗網路
GDP	Gross Domestic Product	國內生產總值
GPU	Graphics Processing Unit	圖形處理器
HPC	High Performance Computing	高效能運算
IMF	International Monetary Fund	國際貨幣基金組織
IoT	Internet of Things	物聯網
IP	Intellectual Property	智慧財產
ISA	Instruction Set Architecture	指令集架構

附　錄

英文縮寫	英文全名	中文名稱
IT	Information Technology	資訊技術
ITIS	Industry & Technology Intelligence Service	產業技術知識服務計畫
NLP	Natural Language Processing	自然語言處理
OBM	Original Brand Manufacturer	自有品牌
OCP	Open Compute Project	開放運算計畫
ODM	Original Design Manufacturer	原始設計製造商
OEM	Original Equipment Manufacturer	原始設備製造商
OPEC	Organization of the Petroleum Exporting Countries	石油出口國組織
PC	Personal Computer	個人電腦
PCB	Printed Circuit Board	印刷電路板
PCBA	Printed Circuit Board Assembly	印刷電路板元件
PGC	Professional Generated Content	專業生成內容
RTOS	Real-Time Operating System	即時作業系統
SDK	Software Development Kit	軟體開發套件
SIP	System in Package	封裝體系
SMT	Surface Mount Technology	表面貼裝技術
SWIFT	Society for Worldwide Interbank Financial Telecommunication	全球銀行間金融電信協會
TPU	Tensor Processing Unit	張量處理單元
UGC	User Generated Content	使用者生成內容
UVL	Ultraviolet Lithography	紫外光刻
VR	Virtual Reality	虛擬實境

四、參考資料

（一）參考文獻

1. 2022 資訊硬體產業年鑑，經濟部技術處，2022 年

（二）其他相關網址

1. 國際貨幣基金組織，https://www.imf.org/external/index.htm
2. 經濟學人智庫，https://www.eiu.com/n/
3. 行政院主計總處，https://www.dgbas.gov.tw/
4. 經濟部統計處，https://www.moea.gov.tw/
5. 財政部統計處，https://www.mof.gov.tw/
6. 經濟部投資審議委員會，https://www.moeaic.gov.tw/
7. 中央銀行，https://www.cbc.gov.tw/
8. Microsoft，https://www.microsoft.com/
9. Google，https://www.google.com/
10. NVIDIA，https://www.nvidia.com/
11. Intel，https://www.intel.com.tw/
12. Dell，https://www.dell.com.tw/
13. 聯想，https://www.lenovo.com/
14. 華為，https://consumer.huawei.com/
15. 小米，https://www.mi.com/tw/
16. 研華，http://www.advantech.tw/
17. 凌華，https://www.adlinktech.com/

國家圖書館出版品預行編目（CIP）資料

資訊硬體產業年鑑. 2023/魏傳虔, 黃馨, 陳牧風, 陳奕伶, 楊智傑, 楊淳安, 郭唐帷, 張家維作. -- 初版. -- 臺北市：財團法人資訊工業策進會產業情報研究所, 民 112.08
　　面； 公分
ISBN 978-957-581-904-0(平裝)

1.CST: 電腦資訊業 2.CST: 年鑑

484.67058　　　　　　　　　　　　　　　　　　　　112011626

書　　　名	2023 資訊硬體產業年鑑
發行單位	經濟部技術處 / http://www.moea.gov.tw / 02-2321-2200 / 臺北市中正區福州街 15 號
出版單位	財團法人資訊工業策進會產業情報研究所（MIC）/ http://mic.iii.org.tw / (02)2735-6070 / 臺北市大安區敦化南路二段 216 號 19 樓
編　　者	2023 資訊硬體產業年鑑編纂小組
作　　者	魏傳虔、黃馨、陳牧風、陳奕伶、楊智傑、楊淳安、郭唐帷、張家維
其他類型版本說明	本書同時登載於 ITIS 智網網站，網址為 http://www.itis.org.tw
出版日期	中華民國 112 年 8 月
版　　次	初版
售　　價	電子書－新臺幣 6,000 元整；實體書－新臺幣 6,000 元
展 售 處	臺北市電腦商業同業公會 ITIS 出版品銷售中心 / 臺北市八德路三段 2 號 3 樓 / 02-2576-2008 / http://books.tca.org.tw
ISBN	978-957-581-905-7（電子書）； 978-957-581-904-0（實體書）
著作權利管理資訊	財團法人資訊工業策進會產業情報研究所（MIC）保有所有權利。欲利用本書全部或部分內容者，須徵求出版單位同意或書面授權。
聯絡資訊	ITIS 智網會員服務專線 (02)2732-6517

本文件著作權歸屬財團法人資訊工業策進會所有，未經許可，請勿任意使用
本文件智慧財產權歸屬財團法人資訊工業策進會所有，未經許可，請勿任意使用

IT Hardware Industry Year Book 2023

Publication authorized by the Department of Industrial Technology, Ministry of Economic Affairs.

Copyright © 2023 by the Market Intelligence & Consulting Institute (MIC), Institute for Information Industry.

Information：19F., No.216, Sec. 2, Dunhua S. Rd., Taipei City 106, Taiwan, R.O.C. / http://mic.iii.org.tw / (02)2735-6070

Compiled by：Wei, Chuan-Cian; Huang, Sin; Chen, Mu-Fong; Chen, Yi-Ling; Yang, Jhih-Jie; Yang, Chun-An; Guo, Tang-Wei; Jhang, Jia-Wei

First edition

Price：eBook NTD 6,000 / Physical Book NTD 6,000

Retail Center：Taipei Computer Association / http://books.tca.org.tw / 3F., No. 2, Sec. 3, Bade Rd., Taipei City 105, Taiwan, R.O.C. / (02)2576-2008

ISBN：978-957-581-905-7 (eBook) / 978-957-581-904-0 (Physical Book)

All rights reserved. Reproduction of this publication without prior written permission is forbidden.